P9-DSZ-990

JUAN PABLO II

MI DECÁLOGO PARA EL TERCER MILENIO

PRÓLOGO DE ELÍAS YANES

Título original: *Io vi dico.*
Decalogo per il Terzo Millennio

Traducción: José Antonio Sobrado
Rafael Pérez

Diseño de cubierta: Estudio SM

ISBN: 84-288-1186-5
Depósito legal: M-30.537-1994
Fotocomposición: Grafilia, S.L.
Impreso en España/*Printed in Spain*
Imprenta SM - Joaquín Turina, 39 - 28044 Madrid

PRÓLOGO

Desde que comenzó el pontificado de Juan Pablo II, su voz se ha dejado oír como una palabra autorizada, tanto en el interior de la Iglesia como en el ámbito más amplio de la sociedad. Su presencia a lo largo y ancho de este mundo, ante los auditorios más diversos, es la voz de un heraldo del Evangelio, el sucesor de Pedro.

En el presente libro encontramos una serie de temas, en forma de decálogo, del mensaje pleno de humanidad que Juan Pablo II ha ido desgranando desde los inicios de su pontificado en su largo peregrinar por los pueblos del mundo.

Los diez temas que se recogen en este libro abarcan la existencia entera del cristiano y orientan su vida en vísperas del comienzo del Tercer Milenio del Cristianismo. Es ésta una ocasión privilegiada para renovar nuestra vida según las actitudes de Jesús, el Hijo de Dios. La llamada del Papa Juan Pablo II a una *nueva evangelización,* exige una adhesión de fe viva a Jesucristo, el Mediador único de nuestra salvación, una conversión total, un cambio de mentalidad y de criterios para enfrentarnos a los nuevos retos que el mundo de hoy nos urge. La orientación del Magisterio de la Iglesia, dada a través de Juan Pablo II, es de una gran importancia para hacer práctica y actual la lectura del Evangelio de siempre, en la sociedad concreta en que vivimos.

— *La fe,* como respuesta primera y fundamental del creyente al Dios que nos ama, es un compromiso que debe transformar no sólo el conocimiento sino la existencia entera del cristiano. No es posible vivir una fe verdadera sin una generosidad y sacrificio que renuncie a criterios, actitudes y modos de vida al uso en una sociedad materializada y secularizada. Cristo es el centro de la fe cristiana, la fe que la Iglesia proclama hoy igual que siempre a todos los hombres.

— *La Iglesia,* que nos hace presente a Jesucristo, es nuestra madre. Ella nos ha engendrado a la vida sobrenatural por el Bautismo y, por ello, hemos de amarla entrañablemente. Amor a Cristo significa amor a la Iglesia. El cristiano ha de creer en ella y trabajar para que sea de verdad la manifestación clara de Jesucristo vivo hoy en medio de su pueblo. Vivimos nuestra fidelidad a Cristo en la comunión eclesial. La Iglesia es fundamentalmente una comunión de todos los miembros de la Iglesia entre sí en Cristo-Jesús; es sobre todo misterio de comunión con Cristo y con el Padre en el Espíritu Santo.

— *La oración* es la expresión más clara de nuestra fe. No es posible crecer y madurar en la fe sin una oración personal, comunitaria y familiar. Cuando rezamos reconocemos nuestros límites y nuestra dependencia de Dios, como único Señor absoluto y Creador. En un mundo que necesita y busca ámbitos de mayor interioridad, el cristiano ha de encontrar en la oración el oxígeno imprescindible para vivir de su fe.

— *El amor* cristiano tiene su raíz en Dios mismo, a la vez que es el camino para todo bien. Amar es cumplir la ley del Evangelio, de la Buena Noticia de Jesús que nos abre a una nueva y rehabilitadora esperanza, de la que tan necesitado está nuestro mundo sufriente.

— *La historia* ha sido asumida por Dios en Jesucristo y es un esbozo del mundo futuro que esperamos. Los hombres necesitan saber y comprender que en su propia historia y en la de sus hermanos del mundo, con sus dolores y alegrías, con sus esperanzas y tristezas, se hace presente Dios mismo, como Salvador y Liberador de nuestras miserias y grandezas.

— *El mal* existe. Es una realidad innegable e imposible de eliminar. El mal es la *anti-verdad.* El cristiano está llamado a buscar, amar y defender la verdad que nos hace libres. La ascesis de la disciplina de la verdad es el camino ético y moral del creyente en Jesús.

— *El trabajo* es un bien necesario al hombre y tanto más apreciado cuanta mayor dificultad existe para obtenerlo. El trabajo es el modo como el hombre y el cristiano realizan su vocación sobre la tierra como personas. Nos ayuda a ser mejores y más responsables. Apreciarlo y realizarlo con responsabilidad es una exigencia de nuestra vocación humana y cristiana.

— *El mundo* es el ámbito en el que el cristiano quiere hacer realidad el Reino de Dios. A pesar de su grandeza y belleza, de los adelantos de la ciencia y de la técnica, el mundo de hoy está ansioso de más verdad, de más amor y de más alegría. Aportar esperanza e ilusión a nuestro mundo es testimoniar nuestra fe y confianza en Jesucristo Resucitado, Señor de la historia.

— *La paz* es el don más apreciado en un mundo en el que los conflictos y la violencia surgen con frecuencia y en el que las privaciones y dificultades afligen a tantos seres humanos. La paz es un desafío para todos cuantos nos profesamos seguidores de Cristo, una paz hecha de reconciliación, de justicia, libertad y amor universales.

— *Las diversas religiones* que se profesan en el mundo no han de hacernos olvidar que Dios quiere la salvación de todos los hombres y que la humanidad forme una sola familia, ya que todos hemos sido creados por Él a su imagen. En Dios, todos los hombres encuentran la plenitud de la vida.

Es doctrina y pensamiento del Papa Juan Pablo II, orientadora y clarificadora de una conducta cristiana que ha de abrirse y comprometerse con la *nueva evangelización.* El Tercer Milenio del cristianismo, que comenzaremos a vivir el año 2000, ha de estimularnos a la fidelidad al Magisterio de la Iglesia, que nos ofrece la lectura fiel y verdadera del Evangelio de Jesucristo.

Madrid, 24 de septiembre de 1994

† Elías Yanes Álvarez
Arzobispo de Zaragoza
y Presidente de la Conferencia Episcopal Española

I. FE

«Para poder decir "creo", "yo creo", es necesario estar dispuesto a la abnegación, a la entrega de sí mismo; es también necesario estar dispuesto al sacrificio y a la renuncia y tener un corazón generoso».

La dificultad de creer en la sociedad actual

Es bien sabido que la civilización contemporánea está empapada de diferentes corrientes, no sólo cristianas sino también anticristianas, acristianas, arreligiosas y antirreligiosas. Más aún, estas corrientes parecen alguna vez ser las dominadoras en la mentalidad de la sociedad actual. Se trata de una situación que nos exige un compromiso si queremos superarla, un compromiso de todos los cristianos responsables, responsables de lo que quiere decir ser cristianos. Cristo dice que su Padre realiza «cultura», cultura en el sentido más profundo de la palabra: la cultura que es la auténtica perfección del hombre, su realización en el sentido humano natural y hasta en el sentido sobrenatural [1].

No es fácil ser auténticamente cristianos en el contexto de la sociedad moderna, penetrada por formas de un paganismo nuevo. Pero tampoco lo era ayer en contextos diferentes. Resulta aún más difícil crear un ambiente social más amplio inspirado en los grandes valores del Evangelio. No obstante, hay que esforzarse para conseguirlo alimentando una confianza en la capacidad creativa que proviene de la gracia de Cristo crucificado. No existen modelos de sociedad que puedan considerarse libres de elementos negativos. Hasta las rosas tienen espinas [2].

El drama del ateísmo

Se advierte hoy en el mundo, y especialmente en nuestro Occidente, la necesidad de «reedificar» en sus componentes esenciales una civilización realmente digna del hombre. Las desigualdades económicas, que todavía subsisten y que a veces se agravan, son un síntoma de carencias más profundas que tienen que ver con el ámbito espiritual. Ideologías materialistas por una parte y permisividad moral por otra han llevado a muchos a creer en la posibilidad de construir una sociedad nueva y mejor excluyendo a Dios y eliminando cualquier referencia a los valores trascendentales. Sin embargo, la experiencia permite que podamos tocar con nuestras manos que la sociedad se deshumaniza sin Dios y que al hombre se le priva de su mayor riqueza. El futuro del mundo será más humano en la medida en que más cercanos estén los hombres a su Creador y Redentor.

«El cristianismo no mortifica al hombre, sino que ensalza sus capacidades más nobles y las pone al servicio de cada uno y de la comunidad. En Cristo, verdadero hombre y verdadero Dios, podemos descubrir la verdad plena sobre nosotros mismos y sobre nuestro destino» (*Redemptor hominis,* 10).

Os ruego que mantengáis intacta la fe en el Salvador Jesús, que murió y resucitó por nosotros. Estad atentos a su Evangelio, que la Iglesia os sigue proponiendo con inalterable fidelidad a la tradición de los orígenes. Educad a vuestros hijos en el cumplimiento de los mandamientos enseñándoles a pedir a Dios la valentía necesaria para desafiar a la opinión dominante cuando está en contraste con el Evangelio. No tengáis miedo de nadar contracorriente.

El mundo de hoy necesita más que nunca la novedad del Evangelio para no ahogarse en el conformismo arrollador de la civilización de masas [3].

En este tema algunos dicen que están buscando y otros se consideran no creyentes y tal vez incapaces de creer o indiferentes a la fe. Hay quien llega a rechazar a un Dios cuyo rostro se les presenta mal. En fin, hay otros que, obcecados por los reflujos de las filosofías de la sospecha, presentan la religión como ilusión o alienación y quizá sienten la tentación de construir un humanismo sin Dios. Deseo a todos éstos, sin embargo, que por lo menos dejen por honradez abiertas sus ventanas a Dios. De lo contrario, corren el riesgo de pasar a la orilla del camino del hombre que es Cristo, de cerrarse en actitudes de rebelión y de violencia, de contentarse con suspiros, impotencia y resignación. Un mundo sin Dios termina construyéndose antes o después contra el hombre [4].

La razón ante el misterio

Los «sabios» y los «inteligentes» se han formado su visión personal de Dios y del mundo y no están dispuestos a cambiarla. Creen que lo saben todo sobre Dios, que poseen la respuesta resolutiva y que no tienen nada que aprender. De ahí que rechacen la «buena noticia», que les resulta tan extraña y en contraste con las capacidades de su «weltanschauung». Se trata de un mensaje que propone ciertos cambios paradójicos que su «buen sentido» no puede aceptar.

Lo que sucedía en tiempos de Jesús sucede hoy; más aún, hoy de una manera muy singular. Vivimos en una cultura que lo somete todo a un análisis crítico y a menudo lo hace absolutizando criterios parciales, inadecuados por su naturaleza para la percepción de ese mundo de realidades y valores que escapa al control de los sentidos. Cristo no pide al hombre que renuncie a su razón. ¿Cómo iba a hacer eso quien se la donó? Lo que le pide es que no ceda a la antigua sugestión del tentador, que sigue haciendo destellar ante él la perspectiva engañosa de poder ser «como Dios» (cfr. *Gn* 3, 5). Sólo quien acepta sus límites intelectuales y morales y se reconoce necesitado de salvación puede abrirse a la fe y encontrar en ella, en Cristo, a su Redentor [5].

Fe y razón

Entre una razón que, en conformidad con su naturaleza que proviene de Dios, está ordenada a la verdad y tiene capacidad para el conocimiento verdadero, y una fe relacionada con la misma fuente divina, no puede haber ningún conflicto de fondo. Más aún, la fe confirma los derechos propios de la razón natural. Los presupone. Efectivamente, su aceptación presupone la libertad propia de un ser racional. Sin embargo, con esto aparece claro también que fe y ciencia pertenecen a dos órdenes diferentes de conocimiento, que no cabe superponer. Se revela también en esto que la razón no lo puede todo ella sola; es finita. Debe concretarse en una multiplicidad de conocimientos parciales, se realiza en una pluralidad de ciencias múltiples. Puede percibir la unidad que une el mundo y la verdad a su origen únicamente en el ámbito de modos parciales de conocimiento. También la filosofía y la teología son, en cuanto ciencias, tentativas limitadas que pueden percibir la unidad compleja de la verdad únicamente en la diversidad, es decir, dentro de una confluencia de conocimientos abiertos y complementarios [6].

Ciencia y fe

Mi reflexión está motivada por las inscripciones en bronce inauguradas hoy aquí: «Ciencia y fe son dones de Dios». En esta afirmación sintética no se excluye solamente que ciencia y fe se tengan que mirar con desconfianza mutua, sino que se indica el motivo más profundo que las llama a establecer una relación constructiva y cordial: Dios, fundamento común de las dos [...]. En Dios, por consiguiente, aun en la diversidad de sus caminos respectivos, ciencia y fe encuentran su principio de unidad.

Si la vida del hombre corre hoy peligros enormes, no se debe a la verdad descubierta mediante la investigación científica, sino a las aplicaciones de muerte de la tecnología. Como en el tiempo de las lanzas y las espadas, también en la era de los misiles, el corazón de los hombres mata antes que las armas [7].

El rechazo de la verdad

El misterio de la iniquidad, el abandono de Dios según las palabras de una carta de Pablo, tiene una estructura interior y una secuencia dinámica bien definida: «*...tiene que manifestarse el hombre impío... el enemigo que se eleva por encima de lo que es divino o recibe culto, hasta llegar a sentarse en el santuario, haciéndose pasar a sí mismo por Dios*» (2 *Tes* 2, 3-4). Encontramos aquí también una estructura interna de la negación, del desarraigo de Dios del corazón de los hombres y del abandono de Dios por parte de la sociedad humana, y esto con el fin, según se dice, de una «humanización» plena del hombre, lo que equivale a hacer que el hombre sea humano en sentido pleno y, en cierto modo, a ponerlo en lugar de Dios, a «deificarlo» por consiguiente. Como se ve, esta estructura es muy antigua y se conocía ya en los orígenes, desde el primer capítulo del Génesis, es decir, la tentación de conferir al hombre la «divinidad» (la imagen y semejanza de Dios) del Creador, de ocupar el sitio de Dios, con la «divinización» del hombre contra Dios o sin

Dios, como resulta evidente por las afirmaciones ateas de muchos sistemas actuales.

Quien rechaza la verdad fundamental de la realidad, quien se coloca a sí mismo como medida de todas las cosas y se pone de este modo en lugar de Dios, quien más o menos conscientemente considera que puede prescindir de Dios, el Creador del mundo, o de Cristo, el Redentor de la humanidad, quien en vez de buscar a Dios corre tras los ídolos, estará siempre de espaldas a la única verdad suprema y fundamental.

Ésta es la fuga de la interioridad. Puede llevar a rendirse. Se trata de una fuga de la interioridad que puede revestir la forma de una extensión exasperada del conocimiento.

La fuga de la interioridad puede también llevar a asociarse a sectas religiosas, que se sirven de vuestro idealismo y de vuestra ingenuidad y os quitan la libertad del pensamiento y de la conciencia. Me refiero también a la fuga a las «islas de felicidad» que, a través de determinadas prácticas exteriores, garantizan la adquisición de una auténtica fortuna y que al final dejan solo a quien recurre a ellas. Existe también una fuga de la verdad fundamental hacia el exterior, es decir, hacia utopías políticas o sociales [8].

Crisis de la fe cristiana católica

Incluso en muchos católicos que todavía se definen así se ha debilitado notablemente la fe en Dios como Persona y, consiguientemente, la fe en Cristo como Hijo de Dios. Se duda también en ver a la Iglesia como sacramento y como don objetivo suyo, no manipulable. Aquí está la razón de que, con no poca frecuencia, la interioridad o la espiritualidad se haga coincidir con la filantropía y con la acción cívico-social a favor de la paz, de la justicia, de la ecología, etc., y la oración, la contemplación, la «lectio divina» les parecen a algunos desprovistas de fundamento suficiente.

Esa «forma mentis» secularizada resulta evidente también en algunos laicos comprometidos en las estructuras eclesiales parroquiales, diocesanas y nacionales, y en algunos religiosos y religiosas, cada vez más atraídos por la misión social, a menudo identificada incluso con la obra misionera.

La publicación del nuevo Catecismo de la Iglesia Católica no dejará de asegurar y fortalecer a los fieles desorientados en la fermentación teológica de estos años, llevando a las genuinas fuentes de la fe a quienes se habían desviado siguiendo a falsos profetas.

Efectivamente, estudiar teología, ser creyente y sentirse miembro activo de la Iglesia constituyen tres componentes que a veces el estudiante duda en integrar en su vida. No se trata de dramatizar: pasar a través de una crisis puede ser también saludable y positivo, pues puede hacer que se madure en la fe y se favorezca el compromiso responsable en la Iglesia. Precisamente por esto se necesita una atenta acción pastoral de apoyo [9].

Cristo, luz y guía en la vida

¡Aprended a conocer a Cristo y dejaos conocer por Él! Él os conoce a cada uno de vosotros individualmente. No es un conocimiento que suscite oposición o rebelión, una ciencia ante la que sea necesario huir para salvaguardar el propio mundo interior. No es una ciencia compuesta de hipótesis o que reduzca al hombre a dimensiones socio-utilitarias. Su ciencia está llena de sencilla verdad sobre el hombre, y especialmente llena de amor. Someteos a esta ciencia sencilla y llena de amor del Buen Pastor. Estad seguros de que Él os conoce a cada uno más de lo que cada uno se conoce a sí mismo. Conoce porque entregó su vida (cfr. *Jn* 15, 13). Facilitadle la labor de encontraros. A veces el hombre, el joven, se encuentra perdido consigo mismo, perdido en el mundo que le rodea, en toda la red de las cosas humanas que le envuelven. Facilitad a Cristo la labor de encontraros. Que Él lo conozca todo sobre vosotros, que él os guíe. Es verdad que para seguir a alguien se necesita al mismo tiempo ser exigente consigo mismo, tal es la ley de la amistad. Si queremos caminar juntos, debemos estar atentos al camino que queremos recorrer. Si nos movemos por la montaña es preciso seguir las señales. Si escalamos una montaña no podemos prescindir de la cuerda. Debemos también conservar la unión con el amigo divino llamado Jesucristo. Debemos colaborar con Él [10].

La fe, encuentro personal con Dios en Jesucristo en la Iglesia

Opiniones, puntos de vista personales y especulaciones no son suficientes a quien evalúa su acción por el camino de vida del hombre y cuyo respeto por el hombre está vivo. No pueden ciertamente contentar a quien es consciente de poder llegar a través de respuestas teológicas a la causa primera de la verdad. Dios nos ha manifestado su palabra, una palabra que no podemos encontrar y retener solos, con la fuerza únicamente de nuestro intelecto, aunque se le haya concedido a nuestra diligencia la posibilidad de aclarar la credibilidad de esta palabra y su correspondencia con nuestros interrogantes y nuestros conocimientos humanos. Se encuentra en la lógica interna de la revelación que la defensa y la interpretación de esta palabra necesitan un don especial del Espíritu. Por consiguiente, el estudio de la teología católica debe estar provisto de la disponibilidad para escuchar los testimonios vinculantes de la Iglesia y acatar las decisiones de quienes, en cuanto pastores de la Iglesia, tienen responsabilidad ante Dios de tutelar en materia de fe.

Sin la Iglesia, la palabra de Dios no habría sido transmitida y conservada; no se puede querer la palabra de Dios sin la Iglesia.

La comprensión intelectual de la fe debe ser integrada también por otro aspecto: la fe, además de conocerse, debe vivirse. En el Nuevo Testamento mismo, una fe que brotara únicamente del conocimiento se rechazaría como perversión, por ejemplo según la carta de Santiago, donde dice que hasta las fuerzas demoníacas conocen al Dios único, pero como no aceptan este conocimiento con su ser, sólo les queda temblar ante este Dios, sólo puede traerles castigo y no salvación (cfr. *Sant* 2, 19).

Cuando Dios nos dirige su palabra no anuncia dato alguno sobre cosas o terceras personas, no nos comunica «algo», sino que nos comunica a sí mismo, a Jesús, como verbo insuperable con quien Dios se comunica a sí mismo. De este modo, la palabra de Dios exige una respuesta que debe darse con toda nuestra persona. La realidad de Dios no la capta quien se limita a considerar su palabra y su verdad sólo como objeto de investigación neutra. La manera de acercarse a Dios como Dios es únicamente la adoración. El maestro Eckhart exhortaba por eso a los que le escuchaban a desembarazarse de ciertos conceptos de Dios [11].

Fe cristiana y valentía en la vida

Debemos decidirnos conscientemente a querer ser cristianos que profesan su fe y a tener la valentía para distanciarnos, si fuera necesario, de nuestro ambiente. Una condición necesaria para ese testimonio decidido de vida cristiana es percibir y comprender, por nuestra parte, la fe como una ocasión estupenda de vida, que trasciende las interpretaciones y la conducta ambiental. Debemos aprovechar cualquier ocasión para experimentar de qué manera la fe enriquece nuestra existencia, realiza en nosotros una fidelidad auténtica en la lucha por la vida, corrobora nuestra esperanza contra los ataques de cualquier clase de pesimismo o desesperación, nos empuja a evitar cualquier pesimismo y a comprometernos con reflexión por la justicia y la paz del mundo; también puede consolarnos y animarnos en el dolor. Tarea y «chance» de la situación de diáspora es, por consiguiente, experimentar más conscientemente de qué modo la fe ayuda a vivir de manera más plena y profunda [12].

El optimismo cristiano

Lo primero que deseo es dirigiros una invitación al optimismo, a la esperanza y a la confianza. Es verdad que la humanidad atraviesa un momento difícil y que se tiene la impresión de que las fuerzas del mal acabarán prevaleciendo. Con harta frecuencia, la honradez, la justicia y el respeto de la dignidad del hombre deben marcar el paso o terminan por sucumbir. A pesar de todo, nosotros estamos llamados a vencer al mundo con nuestra fe (cfr. 1 *Jn 5, 4),* porque pertenecemos a Quien con su muerte y resurrección consiguió para nosotros la victoria sobre el pecado y la muerte y nos hizo capaces de una afirmación humilde y serena, pero segura, del bien por encima del mal.

Somos de Cristo y es Él quien vence en nosotros. Debemos creer esto profundamente, debemos vivir esa certeza, pues de lo contrario las continuas dificultades que surgen tendrán desgraciadamente la fuerza de inocular en nuestras almas la carcoma insidiosa que se llama desánimo, costumbre, acomodamiento pleno a la prepotencia del mal.

La tentación más sutil que acecha actualmente a los cristianos, y especialmente a los jóvenes, es precisamente la de la renuncia a la esperanza en la afirmación victoriosa de Cristo. El instigador de todas las insidias, el maligno, trata siempre y decididamente de apagar en el corazón de los hombres la luz de esa esperanza. No es un camino fácil el de la milicia cristiana, pero debemos recorrerlo conscientes de que poseemos una fuerza interior de transformación que se nos ha comunicado con la vida divina que se nos dio en Cristo, el Señor. En virtud de vuestro testimonio, haréis comprender que los valores humanos más altos se asumen en un cristianismo vivido con coherencia [13].

El amor a la verdad es amor a Cristo

Existe también una contaminación de las ideas y las costumbres que puede llevar a la destrucción del hombre. Esta contaminación es el pecado, del que procede la mentira.

La verdad y la mentira. Es preciso reconocer que con harta frecuencia la mentira se nos presenta con apariencias de verdad. Por eso es necesario despertar el discernimiento para reconocer la verdad, la palabra que viene de Dios, y evitar las tentaciones que proceden del «padre de la mentira». Me estoy refiriendo al pecado, que consiste en negar a Dios, en rechazar la luz. Como dice el Evangelio de Juan, «la luz verdadera» estaba en el mundo: el Verbo «por quien el mundo fue hecho pero que el mundo no reconoció» (cfr. *Jn* 1, 9-10).

«La verdad contenida en el Verbo del Padre»: eso es lo que queremos decir cuando reconocemos a Jesucristo como la verdad. «¿Qué es la verdad?», le preguntaba Pilato. La tragedia de Pilato fue que la verdad estaba delante de él en la persona de Jesucristo y no fue capaz de reconocerla.

No debe repetirse esa tragedia en nuestra vida. Cristo es el centro de la fe cristiana, la fe que la Iglesia proclama hoy igual que siempre a todos los hombres y a todas las mujeres. Dios se hizo hombre. «El Verbo se hizo hombre y habitó entre nosotros» (*Jn* 1, 14). Los ojos de la fe ven en Jesucristo al hombre como puede ser y como Dios quiere que sea. Al mismo tiempo Jesús nos revela el amor del Padre.

Pero la verdad es Jesucristo. ¡Amad la verdad! ¡Vivid en la verdad! ¡Llevad la verdad al mundo! Sed testigos de la verdad. Jesús es la verdad que salva. Él es la verdad total hacia la que nos conducirá el Espíritu de la verdad (cfr. *Jn* 16, 13).

Queridos jóvenes: busquemos la verdad sobre Jesucristo y sobre su Iglesia. Pero debemos ser coherentes: amemos la verdad, vivamos en la verdad, proclamemos la verdad. ¡Cristo, muéstranos la verdad! ¡Sé para nosotros la única verdad! [14]

El hombre, peregrino del absoluto

La vida humana en la tierra es una peregrinación continua. No todos somos conscientes de que estamos de paso en el mundo. La vida del hombre comienza y acaba, comienza con el nacimiento y sigue hasta el momento de la muerte. El hombre es un ser transitorio. Y en esta peregrinación de la vida la religión ayuda al hombre a vivir de tal manera que consiga su fin. El hombre está continuamente puesto ante la naturaleza transitoria de una vida que él sabe que es muy importante como preparación para la vida eterna. La fe peregrina del hombre le orienta hacia Dios y le dirige en la realización de las opciones que le ayudan a conseguir la vida eterna. Por tanto, cada momento de la peregrinación terrena del hombre es importante, importante en sus desafíos y en sus opciones [15].

En la revelación de la Antigua y de la Nueva Alianza el hombre vive en el mundo visible, en medio de las cosas temporales, y al mismo tiempo profundamente consciente de la presencia de Dios, que penetra toda su vida. Este Dios viviente es en realidad el baluarte último y definitivo del hombre en medio de todas las pruebas y sufrimientos de la existencia terrena. El hombre anhela poseer a este Dios de manera definitiva cuando experimenta su presencia. Se esfuerza por llegar a la visión de su rostro, como recuerda el salmista: «Como el ciervo anhela las corrientes de agua, así te desea mi alma, Señor» [16].

Mientras el hombre se esfuerza por conocer a Dios, por ver su rostro y experimentar su presencia, Dios se acerca al hombre para revelarle su vida. El Concilio Vaticano II insiste en la importancia de la intervención de Dios en el mundo. Esto quiere decir que «por medio de la revelación Dios quiso manifestarse a sí mismo y sus planes de salvar al hombre» (DV, 6).

Al mismo tiempo, este Dios misericordioso y amoroso que se comunica a sí mismo por medio de la revelación sigue siendo para el hombre un misterio inescrutable. Y el hombre, el peregrino del Absoluto, sigue toda su vida buscando el rostro de Dios. Pero al final de su peregrinación de fe el hombre llega a la casa del Padre, y estar en esta casa quiere decir ver a Dios «cara a cara» (*1 Cor* 13, 12) [17].

El hombre fue llamado desde el principio por Dios para «someter la tierra y dominarla» (*Gn* 1, 28). Recibió del Señor esta tierra como don y como tarea. Creado a su imagen y semejanza, el hombre tiene una dignidad especial. Es dueño y señor de los bienes depositados por el Creador en sus criaturas. Es colaborador de su Creador.

Por esta razón el hombre no debe olvidar que todos los bienes de los que está lleno el mundo son don del Creador. Por eso advierte la Sagrada Escritura: «*Y no digas: Con mis propias fuerzas he conseguido todo esto. Acuérdate del Señor, tu Dios; él es quien te ha dado fuerza para adquirir esa riqueza, cumpliendo así la alianza que hizo con juramento a tus antepasados, como hace hoy*» (*Dt* 8, 17-18).

¡Qué oportuna ha sido esta advertencia a lo largo de la historia humana! ¡Qué oportuna es especialmente en la época actual ante el progreso de la ciencia y de la técnica! Y es que el hombre, al contemplar las obras de su ingenio, de su mente y de sus manos, parece olvidar cada vez más a Quien es el principio de todas estas obras y de todos los bienes que encierra la tierra y el mundo creado.

Cuanto más somete la tierra y la domina, más parece olvidarse de Quien le dio la tierra y todos los bienes que contiene [18].

Jesús, camino que conduce al Padre

Nosotros llegamos a Dios a través de la verdad de Dios y a través de la verdad sobre todo lo que está fuera de Dios: la creación, el macrocosmos, y el hombre, el microcosmos. Llegamos a Dios a través de la verdad proclamada por Cristo, a través de la verdad que es realmente Cristo. Llegamos a Dios en Cristo, que sigue repitiendo: «Yo soy la verdad».

Esta llegada a Dios a través de la verdad que es Cristo es la fuente de la vida. Es la fuente de la vida que comienza aquí en la tierra en la obscuridad de la fe para llegar a su plenitud en la visión de Dios «cara a cara» en la luz de la gloria, donde Él está realmente.

Cristo nos da esa vida porque es la vida, como Él mismo nos dice: «Yo soy la vida», «Yo soy el camino, la verdad y la vida».

«*¿Por qué me siento turbado?... Esperaré en Dios*» (Salmo 43,5). «*Y* *me acercaré al altar de Dios, al Dios de mi alegría, y te daré gracias con el arpa»* (Salmo 43, 4) [19].

Jesús es el Hijo de Dios y es de la misma sustancia que el Padre. Dios de Dios y luz de luz, se hizo hombre y así ser para nosotros camino que conduce al Padre. A lo largo de su vida terrena hablaba incesantemente al Padre. Al Padre dirigía los pensamientos y los corazones de quienes le escuchaban. En cierto modo, compartía con ellos la paternidad de Dios, y esto es algo que se ve de manera especial en la oración que enseñó a sus discípulos, el padrenuestro.

Al final de su misión mesiánica en la tierra, un día antes de su pasión y muerte, dijo a los apóstoles: *«En la casa de mi Padre hay un lugar para todos; de no ser así ya os lo habría dicho; ahora voy a prepararos ese lugar»* (*Gn* 14, 2).

Si el Evangelio es revelación de la verdad que dice que la vida humana es una peregrinación hacia la casa del Padre, significa que es al mismo tiempo una llamada a la fe por medio de la cual caminamos como peregrinos, una llamada a la fe peregrinante. Cristo dice: «Yo soy el camino, la verdad y la vida» [20].

La cruz de Cristo, mensaje de dolor y salvación

Aunque es la luz para la revelación a todas las naciones, Jesús está destinado a ser al mismo tiempo, y en todas las épocas, un signo difamado, un signo atacado, un signo de contradicción. Así sucedió también con los profetas de Israel. Así sucedió con Juan Bautista y así sucedería en las vidas de todos los que habrían de seguirle.

Realizó grandes signos y milagros, multiplicó los panes y los peces, calmó las tempestades, resucitó a los muertos. Las masas acudían a él de todas partes y le escuchaban con atención, pues hablaba con autoridad. Sin embargo se encontró con la dura oposición de quienes rehusaban abrirle su corazón y su mente. Al final, la expresión más dura de esta contradicción la encontramos en su sufrimiento y su muerte en la cruz. La profecía de Simeón se verificaba. Se verificaba con Jesús y se verifica en la vida de sus seguidores en toda la tierra y en todos los tiempos.

Así, la cruz se convierte en luz, la cruz se convierte en salvación. ¿Acaso no es ésta la Buena Nueva para los pobres y para todos los que experimentan el sabor amargo del sufrimiento?

La cruz de la pobreza, la cruz del hambre, la cruz de todos los demás sufrimientos puede transformarse, pues la cruz de Cristo se ha convertido en una luz para nuestro mundo. Es una luz de esperanza y de salvación. Da sentido a todos los sufrimientos humanos. Lleva consigo la promesa de una vida eterna libre del dolor y del pecado. A la cruz siguió la resurrección. La muerte fue vencida por la vida. Y todos los que están unidos al Señor crucificado y resucitado pueden esperar que participarán en esta misma victoria [21].

La fe en el Espíritu Santo

La Iglesia profesa de manera incesante su fe: en nuestro mundo hay creado un Espíritu que es un don increado. Es el Espíritu del Padre y del Hijo. Como el Padre y el Hijo, es increado, inmenso, eterno, omnipotente, Dios y Señor. Este Espíritu de Dios «llena el universo», y todo lo creado reconoce en Él la fuente de su identidad, encuentra en Él su expresión trascendente, se dirige a Él y le espera, le invoca con todo su ser. A Él, como al Paráclito, como al Espíritu de verdad y de amor, acude el hombre que vive de verdad y amor y que no puede vivir sin la fuente de la verdad y del amor. A Él acude la Iglesia, que es corazón de la humanidad, para invocarle por todos y para que a todos les conceda los dones del amor, por cuyo medio se derramó en nuestros corazones. A Él acude la Iglesia a lo largo de los complicados caminos de la peregrinación del hombre en la tierra, y suplica, suplica constantemente la rectitud de los actos humanos, como obra suya; suplica el gozo y el consuelo que sólo Él, el verdadero consolador, puede darnos viviendo a lo íntimo de los corazones humanos; suplica la gracia de las virtudes que merecen la gloria celestial; suplica la salvación eterna, en la comunicación plena de la vida divina, a la que el Padre ha predestinado eternamente a los hombres, creados por amor a imagen y semejanza de la Santísima Trinidad [22].

Gemimos, pero en confiada espera de una esperanza indefectible, porque realmente Dios, que es Espíritu, se ha acercado a este ser humano. Dios Padre envió a su propio Hijo revestido de una carne semejante a la del pecado y, ante la presencia del pecado, condenó el pecado. En el momento culminante del misterio pascual, el Hijo de Dios, que se hizo hombre y fue crucificado por los pecados del mundo, se presentó en medio de sus apóstoles después de la resurrección, sopló sobre ellos y les dijo: «Recibid el Espíritu Santo». Este soplo permanece para siempre. Por eso «el Espíritu acude siempre en ayuda de nuestra debilidad» [23].

La ignorancia, el peor enemigo de la fe

Cualquier persona necesita una formación integral e integradora —cultural, profesional, doctrinal, espiritual y apostólica— que le disponga para vivir en una coherente unidad interior y le permita siempre dar razón de su esperanza a quien se la pida.

La identidad cristiana exige el esfuerzo constante de formarse cada vez más, pues la ignorancia es el peor enemigo de nuestra fe. ¿Quién puede decir que ama de veras a Cristo si no se empeña en conocerle mejor?

¡Formación y espiritualidad! Un binomio inseparable para quien aspira a llevar una vida cristiana comprometida de veras en la edificación y la construcción de una sociedad más justa y fraterna. Si queréis ser fieles en vuestra vida cotidiana a las exigencias de Dios y a las expectativas de los hombres y de la historia, tenéis que alimentaros constantemente con la palabra de Dios y con los sacramentos, para que *«la palabra de Cristo habite en vosotros con toda su riqueza»* (*Col* 3, 16) [24].

El valor del compromiso de la fe cristiana y católica

La fe: no consiste en la última novedad que hoy es noticia y mañana está ya olvidada. La fe no es una enseñanza que alguien puede adaptar a sus necesidades y según el momento presente. No es invención o creación nuestra. La fe es el gran don divino que Jesucristo ha hecho a la Iglesia. Dice san Pablo en la carta a los Romanos: «La fe surge de la proclamación, y la proclamación se verifica mediante la palabra de Cristo» (10, 17). El creyente encuentra su fundamento en Jesucristo, que sigue viviendo en su Iglesia a lo largo de los siglos hasta el día del juicio.

La fe vive en la tradición de la Iglesia. Sólo en ella podemos encontrar con seguridad la verdad de Jesucristo. Sólo una rama viva del árbol de la comunidad eclesial tiene su fuerza en las raíces.

Os exhorto hoy a mantener firme la fe de la Iglesia. Es lo que han hecho vuestros padres y vuestras madres. Ateneos a la fe también vosotros y trasmitidla sucesivamente a vuestros hijos. Ésta es la razón de mi viaje pastoral en medio de vosotros: «*Os recuerdo, hermanos, el Evangelio que os anuncié, que recibisteis y en el que habéis perseverado*» (*1 Cor* 15, 1).

Sin una fe firme carecéis de apoyo y estáis a merced de las enseñanzas cambiantes del tiempo. Ciertamente hay también hoy algunos ambientes en los que ha dejado de aceptarse la doctrina correcta, y se busca en ellos, conforme a los propios deseos, maestros nuevos que os lisonjean, como advirtió san Pablo. No os dejéis engañar. No hagáis caso de los profetas del egoísmo, que interpretan de manera incorrecta la evolución individual, que os proponen una doctrina terrena de salvación y que quieren construir un mundo sin Dios.

Para poder decir «creo», «yo creo», es necesario estar dispuestos a la abnegación, a la entrega de sí mismos, es necesario también estar dispuestos al sacrificio y la renuncia y tener un corazón generoso.

Quien tiene esta valentía verá que se disuelven las tinieblas. Quien cree, ha encontrado el faro que facilita un camino seguro. Quien cree, conoce la dirección y es capaz de orientarse. Quien cree, ha dado con el camino acertado y ninguna insensatez de ningún falso maestro conseguirá desviarle. El creyente tiene un punto de apoyo y acepta vivir la vida de manera digna y como agrada a Dios. Quien cree, puede concluir con pleno conocimiento su vida y aceptar el momento en que Dios le llame.

Es verdad que considerarse hoy en la Iglesia no es el modo más cómodo de vivir. Es más fácil adaptarse y esconderse. Actualmente aceptar la fe y vivirla significa nadar contracorriente. Se trata de una opción que exige energía y valor [25].

Notas

1. Parroquia de los Santos Protomártires, 21 de abril de 1985.
2. Discurso en Verona, el 16 de abril de 1988.
3. Discurso en el santuario de la Virgen de las Gracias en Benevento, 2 de julio de 1990.
4. Discurso a los jóvenes en París, 1 de junio de 1980.
5. Al Almo Collegio Capranica, 21 de enero de 1980.
6. Colonia, discurso a los profesores y estudiantes, 15 de noviembre de 1980.
7. Erice, encuentro con los investigadores del centro Ettore Majorana, 8 de mayo de 1993.
8. Munich, homilía a los jóvenes, 19 de noviembre de 1980.
9. A los obispos de Holanda en visita «ad limina apostolorum», 11 de enero de 1993.
10. Cracovia, discurso a los universitarios, 8 de junio de 1979.
11. Fulda, encuentro con los laicos, 18 de noviembre de 1980.
12. Osnabrück, homilía, 16 de noviembre de 1980.
13. Discurso a la juventud salesiana, 5 de mayo de 1979.
14. Santiago de Compostela, discurso a los jóvenes, 19 de agosto de 1989.
15. Nueva Delhi, homilía en el estadio Indira Gandhi, 1 de febrero de 1986.
16. Idem.
17. Idem.
18. Bahía Blanca, Argentina, discurso al mundo rural, 7 de abril de 1987.
19. Nueva Delhi, 1 de febrero de 1986.
20. Nueva Delhi, 1 de febrero de 1986.
21. Nueva Delhi, homilía, 2 de febrero de 1986.
22. Encíclica «Dominum et vivificantem».
23. Encíclica «Dominum et vivificantem».
24. Viedma, Argentina, 6 de abril de 1987.
25. Homilía delante de la catedral de Münster, 1 de mayo de 1987.

II. IGLESIA

«De esta Iglesia somos miembros e hijos; por esta Iglesia hemos sido engendrados a la vida sobrenatural en el Bautismo, que nos ha incorporado a Cristo. A esta iglesia, por tanto, hemos de amar como madre».

Realidad del misterio de la Iglesia

Hay quienes piensan erróneamente que Cristo puede estar separado de la Iglesia; que se puede dedicar toda la vida a Cristo sin hacer referencia alguna a la Iglesia. Actuando así olvidan la verdad proclamada por san Pablo con estas palabras: «nadie odia a su propio cuerpo, antes bien lo alimenta y lo cuida como hace Cristo con su Iglesia» (*Ef* 5, 29-30). Como he afirmado en mi reciente Carta Apostólica sobre san Agustín: «Porque el único mediador y redentor de los hombres, Cristo, es la cabeza de la Iglesia. Cristo y la Iglesia son una sola persona mística, el Cristo total» (*Augustinum Hipponensem* 11, 3).

Amar a Cristo, pues, significa amar a la Iglesia. La Iglesia existe por Cristo, a fin de continuar su presencia y su misión en el mundo. Cristo es el Esposo y el Salvador de la Iglesia, su Fundador y su Cabeza. Cuanto más logremos conocer y amar a la Iglesia, más cercanos estaremos a Cristo.

La Iglesia es verdaderamente un misterio, una realidad humana y divina que merece nuestro estudio y nuestra contemplación, y que sin embargo va mucho más allá de la comprensión de la mente humana. Algunos símbolos nos ayudan a penetrar y a comprender este misterio de la naturaleza intrínseca de la Iglesia. Por ejemplo, san pablo habla de la Iglesia como «un campo» cultivado y fertilizado por Dios (cfr. *1 Cor* 3, 9). Llama a los fieles «templo de Dios» en el que habita el Espíritu Santo (cfr. *Ef* 5, 21-23).

En realidad, muchas veces san Pablo identifica la Iglesia con el mismo Cristo, llamándola Cuerpo de Cristo (cfr. *Rm* 12, 12 ss). Le llama también «nuestra madre» (cfr. *Gal* 4, 26), porque gracias al amor de Cristo y al agua del Bautismo ella da vida a muchos hijos a lo largo de la historia. A través de éstos y de otros muchos símbolos, alcanzamos a ver, de forma limitada pero real, la gran riqueza del misterio de la Iglesia.

La Iglesia es fundamentalmente un misterio de comunión.

Aquella comunión en la cual participamos en la Iglesia es tanto vertical como horizontal. Es una comunión con las tres personas de la Santísima Trinidad y nos une con los demás miembros del Cuerpo de Cristo. Estar en comunión implica una profunda relación personal de conocimiento y de amor [1].

El amor de la Iglesia

La Iglesia, que transmite el mensaje de la revelación de la cual es depositaria, es el lugar de la presencia viva de Dios entre los hombres y el lugar donde se manifiesta la redención. La Iglesia, como afirma el Concilio Vaticano II, es «en Cristo como un sacramento, es decir, signo e instrumento de la íntima unión con Dios, y de la unidad del género humano». Es preciso volver a esta afirmación esencial de la constitución *«Lumen gentium»* (n. 1) para dar todo su valor a nuestra misión. El rostro y la función de la Iglesia no pueden entenderse si no se llega al fondo de su naturaleza: dándonos el Bautismo, ella es la Madre, que nos da la vida de Cristo, nos santifica y nos transmite el don del Espíritu Santo. En la Eucaristía, ofrenda del acto de gracia al Padre y vínculo de comunión entre nosotros, nos es dado participar en el sacrificio redentor de Cristo. Fuera de esta dimensión sacramental, no podemos tener más que una visión superficial de la Iglesia, por supuesto equivocada.

En mi opinión, hoy es necesario reanimar en los católicos el amor por la Iglesia que ellos constituyen y a la que no deben mirar desde fuera. La Iglesia no es una simple asociación, sino una auténtica comunión. Para ilustrar este concepto quiero citar a san Ireneo, que fue obispo de Lion: «Por encima de todas las cosas, está el Padre, que es cabeza de Cristo; a través de todas las cosas, está el Verbo, y Él es la cabeza de la Iglesia; en todas las cosas está el Espíritu, que es el agua viva dada por el Señor a aquéllos que creen en Él con rectitud, que lo aman y que saben que existe un solo Dios» (*Adv. haer.* V 18,2). Conscientes de su dignidad de hijos responsables en el seno de la familia cristiana, los bautizados podrán acoger mejor los mensajes proféticos transmitidos por la Iglesia, el don de la fe, y las normas morales que se derivan de ella [2].

El sentido de la Iglesia

Tener y vivir el sentido de la Iglesia significa ante todo creer en el Dios revelado por Jesucristo y proclamado por la Iglesia.

Para creer y para seguir como discípulos a Jesús de Nazaret, Hijo de Dios, Señor y Mesías, Redentor de la humanidad, es preciso primero conocerlo a través de una reflexión continua sobre la Sagrada Escritura, y especialmente sobre el Evangelio, en el cual Él nos habla en primera persona para presentarnos su personalidad, su mensaje, sus intenciones, sus milagros, su pasión y muerte y su resurrección, es decir el «misterio de su identidad».

Tener y vivir el sentido de la Iglesia significa conocer y amar a la Iglesia y «sentir como Iglesia».

Conocer y amar a la Iglesia, que es «en Cristo como un sacramento y un signo e instrumento de la íntima unión con Dios y de la unidad de todo el género humano» (LG 1); que es aquella oveja, conducida y cuidada por el buen pastor que es Cristo (*Jn* 10, 1-10); es la propiedad o el campo de Dios, en donde Cristo es la verdadera vid, que nos fecunda a nosotros, sus sarmientos (*Jn* 15, 1-5); es el Cuerpo de Cristo, en el cual la vida de Cristo se difunde a todos los creyentes mediante los sacramentos de la fe; es el nuevo Pueblo de Dios, pueblo que tiene «por cabeza a Cristo [...], por condición la dignidad y la libertad de los hijos de Dios, en cuyo corazón mora el Espíritu Santo como en un templo; es la que tiene por ley el nuevo precepto de amarla como el mismo Cristo nos ha amado; y por fin el Reino de Dios» (cfr. LG 9).

Ésta es la Iglesia de la cual somos miembros e hijos. En esta Iglesia hemos sido engendrados a la vida sobrenatural en el Bautismo, que nos ha incorporado a Cristo. Ésta es, por tanto, la Iglesia a la que debemos amar como Madre nuestra, porque «no puede tener a Dios por Padre quien no tiene a la Iglesia por Madre» (S. Cipriano, *De catholicae Ecclesiae unitate*, 6; CSEL 3,1,214).

Madre y maestra, hemos de escucharla filial y dócilmente en aquello que nos dice, nos transmite y nos enseña mediante el magisterio del sucesor de Pedro, que es principio y fundamento perpetuo y visible de la unidad de la fe y de la comunión eclesial, y de los obispos, que por institución divina han ocupado el puesto de los apóstoles, como pastores de la Iglesia. Quien los escucha, escucha a Cristo; quien los desprecia, desprecia a Cristo y a Aquél que Cristo ha enviado (cfr. *Lc* 10, 16). El cristiano auténtico está siempre en sintonía con el Magisterio de la Iglesia; lo acoge y, con la gracia de Dios, lo actualiza en las múltiples circunstancias de la vida diaria. Esto significa «*sentire cum Ecclesia*» [3].

La elección y la misión de Pedro

Jesús afirma: «*Sobre esta piedra edificaré mi iglesia y el poder del abismo no la hará perecer*» (*Mt* 16, 18). Son palabras que atestiguan la voluntad de Jesús de edificar su Iglesia con referencia concreta a la misión y al poder especial que Él a su vez conferirá a Simón. Jesús define a Simón Pedro como fundamento sobre el que será construida la Iglesia. Lo carga de valor y desvela su significado teológico y espiritual, que objetiva y eclesialmente está en la base de su significado jurídico.

Mateo es el único evangelista que nos trae estas palabras, pero a este respecto hemos de recordar que Mateo es también el único que recogió los recuerdos de especial interés sobre Pedro (cfr. *Mt* 14, 28-31), quizá refiriéndose a las comunidades para las cuales escribía su Evangelio, y a las que quería inculcar el nuevo concepto de «asamblea convocada» en el nombre de Cristo, presente en Pedro.

El «nombre nuevo» de Pedro, dado por Jesús a Simón, queda confirmado por los otros evangelistas, sin oposición alguna con el significado del nombre que explica Mateo. Por lo demás, no vemos qué otro significado podría tener.

Hemos de precisar que la «piedra» de la que habla Jesús es exactamente la persona de Simón. Jesús le dice: «Tú eres Kefas». El contexto de esta afirmación nos hace entender todavía mejor el sentido del Tú persona. Después de que Simón ha dicho quién es Jesús, Jesús dice quién es Simón, según su proyecto de edificación de la Iglesia. Es verdad que a Simón se le llama «piedra» después de la profesión de fe, y que eso supone una relación entre la fe y dicho papel de piedra conferido a Simón. Pero la calidad de «piedra» es atribuida a la persona de Simón, no a un acto suyo, por muy noble y grato que resultara a Jesús. La palabra «piedra» expresa un ser permanente, subsistente, y por lo tanto se aplica a la persona, más que a un acto suyo, necesariamente pasajero. Lo confirman así las siguientes palabras de Jesús, que proclama que las puertas del infierno, es decir, los poderes de la muerte, «no prevalecerán contra ella». Esta expresión puede referirse a la Iglesia o a la «piedra». De todos modos, según la lógica del discurso, la Iglesia está fundada sobre piedra y no podrá ser destruida. La relación Pedro-Iglesia repite en sí la unión entre Iglesia y Cristo. Ella no será la Iglesia de Pedro, sino que, como Iglesia de Cristo, está edificada sobre Pedro, que es Kefas en el nombre y por el poder de Cristo.

Jesús dice a Pedro: *«Lo que ates en la tierra quedará atado en el cielo, y lo que desates en la tierra quedará desatado en el cielo»* (*Mt* 16, 19). Es otra semejanza utilizada por Jesús para manifestar su voluntad de entregar a Simón Pedro un poder universal y completo, garantizado y autentificado por la aprobación celestial. No se trata solamente del poder de enunciar los puntos de doctrina o las directrices generales de la acción: según Jesús, es el «poder de atar y desatar», o sea, de tomar todas las medidas necesarias para la vida y para el desarrollo de la Iglesia. La oposición «atar-desatar» sirve para mostrar la totalidad del poder.

Pero es preciso añadir enseguida que la finalidad de este poder es abrir el acceso al Reino, y no cerrarlo: «abrir», es decir, hacer posible la entrada en el Reino de los cielos, no poner obstáculos que supondrían un cierre. Ésa es la finalidad propia del ministerio de Pedro, radicado en el sacrificio redentor de Cristo, que vino para salvar y para ser Puerta y Pastor de todos en la comunión con el único [4].

El obispo de Roma, sucesor de Pedro

La Iglesia es católica también en el sentido de que todos los seguidores de Cristo deben cooperar a su misión salvífica universal mediante el apostolado propio de cada uno. Pero la acción pastoral de todos, especialmente aquella acción colegial de todo el episcopado, obtiene su unidad a través del «ministerio de Pedro», el obispo de Roma. «Los obispos —dice el Concilio—, respetando fielmente el primado y preeminencia de su Cabeza, gozan de potestad propia para bien de sus propios fieles, incluso para bien de toda la Iglesia» (LG 22). Y hemos de añadir —siempre con el Concilio— que, si bien la potestad colegial sobre toda la Iglesia obtiene su particular expresión en el Concilio ecuménico, es prerrogativa del Romano Pontífice convocar estos concilios, presidirlos y confirmarlos» (ibid.). Todo convierte al Papa, obispo de Roma, en principio de unidad y de comunión.

Para el sucesor de Pedro, no se trata de reivindicar poderes semejantes a los de los «tiranos» de este mundo, de los cuales habla Jesús (cfr. *Mt* 20, 25-28), sino de ser fiel a la voluntad del Fundador de la Iglesia que ha instituido este tipo de sociedad y este modo de gobernar al servicio de la comunión en la fe y en la caridad.

Para responder a la voluntad de Cristo, el sucesor de Pedro deberá asumir y ejercitar la autoridad que le es conferida con espíritu de humilde servicio y con el fin de asegurar la unidad. Incluso en las diversas formas de ejercerla a lo largo de la historia, deberá imitar a Cristo en servir y reunir a los que han sido llamados a formar parte del único redil. No subordinará nunca a sus fines personales lo que ha recibido a través de Cristo y de su Iglesia. No podrá olvidar nunca que la misión pastoral universal no puede dejar de implicar una asociación más profunda con el sacrificio del Redentor, con el misterio de la cruz [5].

La misión doctrinal del sucesor de Pedro

Según los textos evangélicos, la misión pastoral universal del Romano Pontífice, sucesor de Pedro, *implica una misión doctrinal.*

Como pastor universal, el Papa tiene la misión de anunciar la doctrina revelada y de promover en toda la Iglesia la verdadera fe en Cristo. Ése es el sentido integral del *ministerio de Pedro.*

El valor de la misión doctrinal confiada a Pedro procede del hecho de que —siempre según las fuentes evangélicas— se trata de una misión pastoral de Cristo. Pedro es el primero de aquellos apóstoles a los que Jesús dijo: «*Como el Padre me ha enviado a mí, así os envío yo a vosotros*» (*Jn* 20, 21; cfr. 17, 18). Como pastor universal, Pedro debe actuar en el nombre de Cristo y en sintonía con Él en toda la amplitud de los sectores humanos en los que Jesús quiere que sea predicado su Evangelio y que sea llevada la verdad salvadora: en el mundo entero. El sucesor de Pedro, en su misión de pastor universal, es pues el heredero de un *munus* doctrinal, en el cual está íntimamente asociado, junto con Pedro, a la misión de Jesús.

Esto no quita nada a la misión pastoral de los obispos, los cuales, según el Concilio Vaticano II, tienen entre sus principales deberes, el de la predicación del Evangelio. Ellos «son los pregoneros de la fe [...] que predican al pueblo que les ha sido encomendado la fe que ha de ser creída y aplicada a la vida» (LG 25).

Además, el obispo de Roma, como cabeza del colegio episcopal por voluntad de Cristo, es el primer pregonero de la fe, al cual corresponde la tarea de enseñar la verdad revelada y de mostrar sus aplicaciones en el comportamiento humano. Él es el primer responsable de la difusión de la fe en el mundo.

A esta misión doctrinal el sucesor de Pedro atiende con una serie continuada de intervenciones, orales y escritas, que constituyen el ejercicio ordinario del magisterio, como enseñanza de las verdades que se han de creer y traducir a la vida (*fidem et mores*). Los actos expresos de tal magisterio pueden ser más o menos frecuentes y tomar formas diversas según las necesidades de los tiempos, las exigencias de situaciones concretas, de las posibilidades y medios disponibles, los métodos y las técnicas de comunicación. Pero, puesto que derivan de una intención explícita o implícita de pronunciarse en materia de fe y costumbres, están ligados con el mandato recibido de Pedro y revisten la autoridad que le ha sido conferida por Cristo.

En el cumplimiento de esta tarea el sucesor de Pedro expresa de forma personal, pero con la autoridad institucional, la «regla de la fe», a la cual deben atenerse los miembros de la Iglesia universal —simples fieles, catequistas, profesores de religión, teólogos—, en la búsqueda del sentido de los contenidos permanentes de la fe cristiana, incluso en relación con las discusiones que surgen dentro y fuera de la comunidad eclesial sobre diversos puntos o sobre todo el conjunto de la doctrina. Es cierto que todos dentro de la Iglesia, y de manera especial los teólogos, están llamados a realizar este trabajo de continua clarificación y explicitación. Pero la misión de Pedro y de sus sucesores es establecer y reafirmar con autoridad aquello que la Iglesia ha recibido y creído desde el principio, aquello que los apóstoles han enseñado, aquello que la Sagrada Escritura y la tradición cristiana han fijado como objeto de la fe y como norma cristiana de vida, así como los demás pastores de la Iglesia, los obispos sucesores de Pedro, en su comunión de fe con Cristo y en el buen cumplimiento de su misión. De este modo, el magisterio del obispo de Roma marca para todos una línea de claridad y de unidad, que se revela como imprescindible de modo particular en tiempos de máxima comunicación y discusión, como son los nuestros.

El Romano Pontífice tiene la misión de proteger al pueblo cristiano contra los errores en el campo de la fe y de la moral, y el deber de custodiar el depósito de la fe (cfr. 2 *Tim* 4, 7). Y ¡ay de quien se escandalice de las críticas y de las incomprensiones! Su consigna es dar testimonio de Cristo, de su palabra, de su ley, de su amor. Pero a la conciencia de la propia responsabilidad en el campo doctrinal y moral, el Romano Pontífice debe añadir el interés de ser, como Jesús, «manso y humilde de corazón» [6].

El sacerdote y la misión sacerdotal

El sacerdote debe presentarse, ante todo, como un «hombre de fe», porque él, en virtud de su misión, debe comunicarla a través del anuncio de la Palabra. No podrá predicar el Evangelio de forma convincente si él mismo no ha asimilado profundamente su mensaje. Él da testimonio de la fe con su forma de actuar y con toda su vida. A través de sus contactos pastorales, se esfuerza en sostener a sus hermanos en la fe, en responder a sus dudas y reforzarlos en sus convicciones.

Cada sacerdote debe estar preparado para su papel de educador en la fe dentro de la comunidad cristiana. Por eso es preciso que en los seminarios la doctrina revelada se enseñe de tal forma que los jóvenes comprendan cuál es el objeto de su fe y respondan a la llamada del Señor con una adhesión libre e interiorizada del mensaje evangélico, asimilándola en la oración.

Hombre de fe, el sacerdote es también «hombre de lo sagrado», testigo del Invisible, portavoz de Dios revelado en Jesucristo. El sacerdote debe ser reconocido como un hombre de Dios, un hombre de oración, al que se ve rezar, al que se oye rezar. Cuando celebra la Eucaristía, la penitencia, la unción de los enfermos, o cuando celebra los funerales o las diversas bendiciones o reuniones de oración, hágalo con dignidad, tomándose el tiempo necesario y llevando las vestiduras apropiadas.

El sacerdote, por tanto, debe alimentar en sí mismo una vida espiritual de calidad, inspirada en el don del propio sacerdocio ministerial. De hecho se puede hablar de una «espiritualidad sacerdotal diocesana». Su oración, su forma de compartir, sus esfuerzos en la vida, están inspirados por su actividad apostólica que se alimenta de toda una vida vivida con Dios. Se ha comprobado que a un período de actividad pastoral intensa corresponde generalmente un tiempo fuerte de vida espiritual. Por otra parte, el Concilio Vaticano II nos recuerda «aquel amor hacia Dios y hacia los hombres que es el alma de todo apostolado» (LG 33).

Hombre de fe, hombre de lo sagrado, el sacerdote es también un «hombre de comunión». Es él quien reúne al Pueblo de Dios y refuerza la unión que hay entre sus miembros por medio de la Eucaristía; él es el animador de la caridad fraterna entre todos.

El sacerdote no puede aventurarse solo en el trabajo que le espera en la viña del Señor. Actúa con sus hermanos en el sacerdocio. Colabora con su propio obispo. Se esfuerza en acrecentar los lazos de unión entre los miembros del presbiterio; en el grupo presbiterial particularmente, la amistad espiritual sirve de estímulo para el ministerio. El sacerdote reúne a los miembros del Pueblo de Dios confiados a su cuidado pastoral.

Sobre esta base de relaciones tan ricas y tan profundas, el celibato adquiere un significado nuevo: no es ya una condición del sacerdocio, sino el camino de una verdadera fecundidad, de una auténtica paternidad espiritual, porque el sacerdote entrega su vida para que los frutos del Espíritu maduren en el Pueblo de Dios. «*Ven y sígueme*», sé mi testigo, da todo tu amor a Dios y a tus hermanos, y estarás al servicio del Pueblo de Dios. Renunciarás al matrimonio, a ser padre o madre, pero tendrás la alegría de abrir a tus hermanos y hermanas a la Buena Nueva, la alegría de reunirlos en mi nombre, de transmitirles mi gracia a través de los sacramentos que yo he confiado a mi Iglesia. Dejando a tu familia para dedicarte completamente al ministerio sacerdotal o a la vida religiosa, serás un signo de mi presencia [7].

El celibato sacerdotal: su significado y su valor

La Iglesia latina, refiriéndose al ejemplo del mismo Cristo Señor, a la enseñanza apostólica y a toda la tradición que le es propia, ha querido y sigue queriendo que todos aquéllos que reciben el sacramento del Orden abracen esta renuncia por el reino de los Cielos. Esta tradición, sin embrago, va unida al respeto hacia otras tradiciones diferentes de otras Iglesias. De hecho, ella constituye una característica, una peculiaridad y una herencia de la Iglesia católica latina, a la cual ella debe mucho y en la cual está decidida a perseverar, a pesar de todas las dificultades a las que puede exponerse una fidelidad de este tipo, y a pesar también de diversos síntomas de debilidad y de crisis de ciertos sacerdotes. Todos somos conscientes de que «llevamos este tesoro en vasos de barro»; y a pesar de todo ello, sabemos muy bien que se trata de un auténtico tesoro [8].

El sacerdote, a través de su celibato, se hace un «hombre para los demás», de una manera distinta a como lo sería otro que, comprometiéndose con una mujer por el vínculo conyugal, se convierte en esposo y en padre, «hombre para los demás» sobre todo en el ámbito de la propia familia: para su esposa, y junto con ella, para los hijos a los que da la vida. El sacerdote, renunciando a esta paternidad que es propia de los esposos, busca otra paternidad, casi una maternidad, recordando las palabras del apóstol acerca de los hijos, a los que él engendra en el dolor. Son hijos de su espíritu, hombres confiados por el buen Pastor a su cuidado. Estos hombres son muchos, más numerosos de lo que puede abarcar una simple familia humana. La vocación pastoral de los sacerdotes es muy grande, y el Concilio nos enseña que es universal y va dirigida a toda la Iglesia, y por lo tanto es también misionera. Normalmente está ligada con el servicio de una comunidad concreta del Pueblo de Dios, cada uno de cuyos miembros espera atención, prontitud y amor. El corazón del sacerdote, para estar disponible a este servicio, a semejante solicitud y amor, debe ser libre. El celibato es el signo de una libertad que está dedicada al servicio. En virtud de este signo el sacerdocio jerárquico, es decir, «ministerial», esta más estrechamente «ordenado» —según la tradición de nuestra Iglesia— al sacerdocio común de los fieles [9].

La Iglesia, que se esfuerza en mantener el celibato de los sacerdotes como un don particular para el Reino de Dios, profesa la fe y expresa la esperanza hacia su Maestro, Redentor y Esposo, y al mismo tiempo hacia Aquél que es «el dueño de la mies» y el «dador de todos los dones». De hecho *«todo don perfecto viene de arriba, del Padre de las luces»* (Santiago 1, 17). No podemos nosotros debilitar esta fe y esta confianza con nuestras dudas humanas o con nuestra pusilanimidad [10].

El sacerdocio católico

Cuando reflexionamos sobre la intimidad entre el Señor y su profeta, su sacerdote —una intimidad que brota como resultado de la llamada con la cual Él tomó la iniciativa—, podemos comprender mejor ciertas características del sacerdocio y dar cuenta de su paralelismo con la misión de la Iglesia de hoy igual que con la del pasado.

a) El sacerdocio es para siempre —*tu es sacerdos inaeternum*—. No volvemos a tomar un don una vez que lo hemos entregado. No es posible que Dios, que ha dado el impulso para decir sí, quiera ahora escuchar un no.

b) No debe sorprender tampoco al mundo que la llamada de Dios mediante la Iglesia siga proponiéndonos un ministerio célibe de amor y de servicio, sobre el ejemplo de nuestro Señor Jesucristo. El amor de Dios nos ha tocado en lo más profundo de nuestro ser. Y después de siglos de experiencia, la Iglesia sabe cuan profundamente conviene que los sacerdotes puedan dar esta respuesta concreta en sus vidas para experimentar la totalidad del sí que dieron al Señor cuando Él los llamó por su nombre para su propio servicio.

c) El hecho de que una llamada personal e individual al sacerdocio sea concedida por el Señor a «hombres elegidos de antemano por Él», es acorde con la tradición profética. Esto debería ayudarnos a comprender que la decisión tradicional de la Iglesia de llamar al sacerdocio de los hombres y no a las mujeres, no significa una declaración de derechos humanos ni la exclusión de las mujeres de la santidad y de la misión de la Iglesia. Esta decisión expresa más bien el convencimiento de la Iglesia con respecto a esta dimensión particular del sacerdocio, mediante la cual Dios ha elegido apacentar a su grey [11].

No podemos atacar la constitución jerárquica de la Iglesia para reclamar en pro de la conciencia humilde y amorosa del servicio de los pastores, ni del deseo de hacer surgir en los fieles laicos a la plena conciencia de su responsabilidad y dignidad. No podemos hacer crecer la comunión y la unidad de la Iglesia ni «clericalizando» a los fieles ni tampoco «laicizando» a los presbíteros.

En consecuencia, no podemos tampoco ofrecer a los fieles laicos experiencias e instrumentos de participación en el ministerio pastoral de los presbíteros, que, en cierto modo y en cierta medida, signifiquen una incomprensión teórica o práctica de la irreductible diversidad querida por el mismo Cristo y por el Espíritu Santo para bien de la Iglesia; diversidad de vocaciones y de estados de vida, diversidad de ministerios, de carismas y de responsabilidades.

No existe ningún derecho «original o prioritario» de participar en la vida y en la misión de la Iglesia, que pueda anular semejante diversidad, porque todo derecho nace del deber de acoger a la Iglesia como un don que Dios mismo tiene concebido de antemano.

Es preciso reconocer que el lenguaje se hace indefinido, confuso, y por lo tanto resulta poco útil para expresar la doctrina de la fe, siempre que se confunde la diferencia «esencial y no sólo de grado» que hay entre el sacerdocio bautismal y el sacerdocio ordenado (cfr. LG 10).

Paralelamente, si no distinguimos con clara evidencia, incluso en la praxis pastoral, el sacerdocio bautismal del sacerdocio jerárquico, corremos también el riesgo de desvalorizar el «*proprium*» teológico de los laicos y de olvidar la «relación ontológica específica que une al sacerdote con Cristo, sumo Sacerdote y buen Pastor» (*Exhortación Apostólica post-sinodal Pastores dabo vobis,* 11).

Los presbíteros lo son en la Iglesia y para la Iglesia, una representación sacramental de Jesucristo, cabeza y pastor (PDV 15). Por tanto solamente puede ser pastor aquél que es al mismo tiempo cabeza; él, el presbítero, actúa de hecho «*in persona Christi*». La «forma del pastor» es una e indivisible y nunca puede ser sustituida por los otros componentes del rebaño; los servicios y los ministerios prestados por los fieles laicos, por tanto, no son nunca propiamente pastorales, ni siquiera cuando suplen ciertas acciones y ciertas preocupaciones del pastor (cfr. *Directorio para el ministerio y la vida*).

Precisar y purificar el lenguaje es una urgencia pastoral porque, detrás de él, pueden anidar insidias mucho más peligrosas de lo que podemos pensar. Lo que va del lenguaje corriente a la conceptualización, es un paso muy pequeño.

Sobre todo, no se debe olvidar nunca que los problemas planteados por la escasez numérica de ministros ordenados, únicamente pueden ser aliviados secundaria y temporalmente por una cierta suplencia de los fieles laicos. Ante la falta de pastores sagrados solamente podemos ayudar «*rogando al dueño de la mies que envíe obreros a su mies*» (*Mt* 9,38), dando la primacía a Dios y velando la identidad y la santidad de los sacerdotes que están entre nosotros. Esto es, sencillamente, la lógica de la fe. Cada comunidad cristiana que vive su orientación total a Cristo y se mantiene disponible a su gracia, sabrá obtener de Él mismo las vocaciones que puedan representarlo como pastor de su pueblo.

Allí donde estas vocaciones escasean, el problema esencial no es el de buscar alternativas —y no quiera Dios que algunos las busquen confundiendo su sabio designio—, sino hacer converger todas las energías del pueblo cristiano para hacer posible nuevamente en las familias, en las parroquias, en las escuelas católicas, en las comunidades, la escucha de la voz de Cristo que nunca deja de llamar [12].

Los laicos en la Iglesia

La pertenencia de los laicos a la Iglesia, como parte viva de la misma, activa y responsable, deriva de la misma voluntad de Cristo, que quiso su Iglesia abierta a todos. Baste aquí recordar el comportamiento del amo de la viña, en aquella parábola tan significativa y atractiva contada por Jesús. Viendo todavía a hombres ociosos, el amo les dice: *«Id también vosotros a la viña»* (*Mt* 20, 4). Esta llamada —comenta el Sínodo de los Obispos de 1987— (CL 2), «no deja de resonar desde aquel lejano día a través de la historia; se dirige a todos los hombres que vienen a este mundo». «La llamada no se dirige solamente a los Pastores, a los Sacerdotes, los Religiosos y Religiosas, sino que se extiende a todos: también los fieles laicos son llamados personalmente por el Señor, de quien reciben una misión para la Iglesia y para el mundo». Todos están invitados a *«dejarse reconciliar con Dios»* (*2 Cor* 5, 20), a dejarse salvar y a cooperar en la salvación universal, porque Dios *«quiere que todos se salven»* (*1 Tim* 2, 4). Todos están invitados con sus cualidades personales a trabajar en la «viña» del padre, donde cada uno tiene su puesto y su premio [13].

La llamada de los laicos supone su participación en la vida de la Iglesia y en consecuencia una comunión íntima en la misma vida de Cristo. Es un don divino y es, al mismo tiempo, un compromiso de correspondencia. ¿No pedía Jesús a los discípulos que lo habían seguido no tanto permanecer constantemente unidos a Él, a su lado, cuanto dejar entrar en sus mentes y en sus corazones su mismo impulso de vida? *«Permaneced unidos a mí como yo lo estoy a vosotros»* (*Jn* 15, 4-5). *«Sin mí no podéis hacer nada»*. Igual que para los sacerdotes, también para los laicos la verdadera fecundidad depende de la unión con Cristo [14].

La Iglesia es santa y todos sus miembros son llamados a la santidad. Los laicos participan de la santidad de la Iglesia, siendo miembros de pleno derecho de la comunidad cristiana, y esta participación, que podemos llamar ontológica, en la santidad de la Iglesia, se traduce también para los laicos en un compromiso ético personal de santificación. En esta capacidad y en esta vocación a la santidad, todos los miembros de la Iglesia son iguales (cfr. *Gal* 3, 28).

El grado de santidad personal no depende de la posición que se ocupa en la sociedad, y mucho menos en la Iglesia, sino tan solo del grado de caridad en que se vive (cfr. *1 Cor* 13). Un laico que acoge generosamente el amor divino en su corazón y en su vida es más santo que un sacerdote o un obispo que lo acogen de forma mediocre [15].

La vida de oración de cada uno de los fieles, y por lo tanto, de los laicos, no podrá ser ajena a la participación en la liturgia, el recurso al sacramento de la Reconciliación, y sobre todo a la celebración eucarística, donde la comunión sacramental con Cristo es la fuente de aquella especie de mutua inmanencia entre el alma y Cristo, que Él mismo anunció: «*El que come mi carne y bebe mi sangre vive en mí y yo en él*» (*Jn* 6, 56). El banquete eucarístico asegura aquel alimento espiritual que nos hace capaces de producir mucho fruto. También los *Christifideles laici* son llamados e invitados a una verdadera vida eucarística. La participación sacramental en la Misa dominical deberá ser para ellos la fuente de vida espiritual, así como del apostolado. Dichosos aquéllos que, además de la Misa y la Comunión dominical, se sienten atraídos e impulsados a la Comunión frecuente, recomendada por tantos santos en tiempos recientes, en los cuales el apostolado de los laicos ha experimentado un desarrollo cada ver mayor [16].

Los laicos cristianos, como «hijos de la promesa», son llamados a dar testimonio en el mundo de la grandeza y de la fecundidad de la esperanza que llevan en su corazón, una esperanza fundada en la doctrina y en la obra de Jesucristo, muerto y resucitado para la salvación de todos. En un mundo en el que, a pesar de las apariencias, se encuentran tantas veces en situación de angustia por la experiencia nueva y desilusionante de los límites, de las carencias e incluso del vacío de muchas estructuras creadas para la felicidad del hombre sobre la tierra; el testimonio de esperanza es particularmente necesario para orientar los espíritus en la búsqueda de la vida futura, más allá del valor relativo de las cosas de este mundo. En esto tienen una especial importancia los laicos, como operarios al servicio del Evangelio a través de las estructuras de la vida seglar. Ellos pueden mostrar que la esperanza cristiana no significa una evasión del mundo ni una renuncia a la plena realización de la existencia terrena, sino su apertura a la dimensión trascendente de la vida eterna, que es la única que da a esta existencia su verdadero valor [17].

El papel de la mujer en la Iglesia

En la perspectiva de la antropología cristiana, cada persona humana tiene su dignidad. Y como persona la mujer no tiene menos dignidad que el hombre. Sin embargo, con demasiada frecuencia la mujer es considerada como un objeto por causa del egoísmo masculino, que se ha manifestado en tantos asedios en el pasado y se manifiesta todavía hoy. En la estructuración actual intervienen múltiples razones de orden cultural y social que se consideran con serena objetividad. No es difícil sin embargo descubrir en ellas el influjo de una tendencia al dominio y a la prepotencia, que ha hallado y halla su víctima especialmente entre las mujeres y entre los niños. Por lo demás, el fenómeno ha sido y es más amplio: como he escrito en la *Cristifideles laici*, tiene su origen en «aquella injusticia y en aquella destructiva mentalidad que considera al ser humano como una cosa, como objeto de compra-venta, como instrumento del interés egoísta o exclusivamente de placer» (n. 49).

Los seglares cristianos están llamados a luchar contra todas las formas que asuman esta mentalidad, incluso cuando se traduce en espectáculo o en publicidad, movida por el intento de acentuar la carrera frenética del consumo. Pero las mujeres tienen el deber de contribuir ellas mismas a alcanzar el respeto de su personalidad, no rebajándose a ninguna forma de complicidad con lo que contradice su dignidad.

La perfección para la mujer no consiste en ser como el hombre, en masculinizarse hasta perder sus calidades específicas de mujer. Su perfección —que es un secreto de afirmación y de relativa autonomía consiste en ser mujer, igual que el hombre, pero diferente.

En la sociedad civil y en la Iglesia, la igualdad y la diversidad de las mujeres deben ser reconocidas.

Diversidad no significa una necesaria y casi implacable oposición. En el mismo relato bíblico de la creación, la cooperación del hombre y de la mujer queda afirmada como condición del desarrollo de la humanidad y de su obra de dominio sobre el universo: «*Creced y multiplicaos, llenad la tierra y sometedla*» (*Gn* 1, 28). A la luz de este mandato del Creador, la Iglesia sostiene que «la pareja y la familia constituyen el primer espacio para el compromiso social de los fieles» (CL 40). En un plano más general, digamos que la instauración del orden temporal debe ser resultado de la cooperación entre el hombre y la mujer [18].

La mujer tiene un corazón comprensivo, sensible, compasivo, que le permite dar un estilo delicado y concreto a la caridad. Sabemos que en la Iglesia hay siempre numerosas mujeres —religiosas y seglares, madres de familia y solteras—, que se han dedicado a aliviar los sufrimientos humanos. Ellas han escrito páginas maravillosas de dedicación a las necesidades de los pobres, de los enfermos, de los afligidos, los impedidos y todos aquéllos que ayer como hoy son abandonados o rechazados por la sociedad. ¡Cuántos nombres nos brotan del corazón y de los labios cuando queremos hacer simplemente una alusión a estas heroicas figuras de la caridad, ejercida con tacto y habilidad tan femenina, dentro de las familias, en instituciones, en casos de males físicos, frente a personas atrapadas por la angustia moral, por la opresión, por la explotación...! Nada de todo esto escapa a la mirada divina, y también la Iglesia lleva en su corazón los nombres y las experiencias ejemplares de tantas nobles representantes de la caridad. Muchas veces las ha incluido en el elenco de sus santos.

Un campo significativo del apostolado femenino en la Iglesia es el de la animación de la liturgia. La participación femenina en las celebraciones, generalmente más numerosa que la masculina, demuestra el interés por la fe, la sensibilidad espiritual, la inclinación a la piedad y el gusto de la mujer por la oración litúrgica y por la Eucaristía.

Sobre esta cooperación de la mujer con el sacerdote y con los demás fieles en la celebración eucarística, podemos ver proyectada la luz de la cooperación de la Virgen María con Cristo, en la Encarnación y en la Redención. «*Ecce ancilla Domini*: *Aquí está la esclava del Señor, que me suceda según dices*» (*Lc* 1, 38). María es el modelo de la mujer cristiana en el espíritu, en la actividad, que expande en el mundo el misterio del Verbo encarnado y redentor [19].

La verdadera promoción de la mujer consiste en promoverla a aquello que le es propio y le conviene según su cualidad de mujer, es decir, de criatura diferente al hombre, modelo de personalidad humana. Ésta es la «emancipación» correspondiente a las indicaciones y a las disposiciones de Jesús, que quiso atribuir a la mujer una misión que le es propia, correspondiendo a su natural diversidad frente al hombre.

En el cumplimiento de esta misión se abre el camino del desarrollo de una personalidad de mujer, que puede ofrecer a la humanidad, y especialmente a la Iglesia, un servicio conforme a sus cualidades [20].

En tiempos bastante recientes se ha venido afirmando, incluso en ambientes católicos, la reivindicación por parte de algunas mujeres del sacerdocio ministerial. Es una reivindicación que en realidad se apoya sobre un presupuesto insostenible: el ministerio sacerdotal no es una función a la que se accede a través de criterios sociológicos o de procedimientos jurídicos, sino sólo por obediencia a la voluntad de Cristo. Ahora bien, Jesús confió la labor del sacerdocio ministerial solamente a personas del sexo masculino. Incluso habiendo invitado a algunas mujeres a seguirlo, y habiéndoles pedido su cooperación, no llamó ni admitió a ninguna de ellas a formar parte del grupo al que había de confiar el sacerdocio ministerial de su Iglesia. Su voluntad aparece clara desde el conjunto de su comportamiento, además de gestos significativos, que la tradición cristiana ha interpretado constantemente como indicaciones a seguir.

Por lo tanto, resulta de los Evangelios que Jesús no ha mandado nunca a las mujeres en misión de predicación, como hizo con el grupo de los doce, que eran todos ellos hombres (cfr. *Lc* 9, 1-6), y lo mismo ocurrió con los setenta y dos, entre los cuales no se menciona ninguna presencia femenina (cfr. *Lc* 10, 1-20).

Sólo a los doce da Jesús la autoridad sobre el Reino: «*Y yo os hago entrega de la dignidad real que mi Padre me entregó a mí*» (*Lc* 22, 29). Sólo a los doce confirió la misión y el poder de repetir la Eucaristía en su nombre (cfr. *Lc* 22, 19), lo que constituye la esencia del sacerdocio ministerial. Sólo a los apóstoles, después de su Resurrección, les da el poder de perdonar los pecados (cfr. *Jn* 20, 22-

23) y de emprender la obra de la evangelización universal (cfr. *Mt* 28, 18-20; *Mc* 16, 16-18).

La voluntad de Cristo fue seguida por los apóstoles y por los demás responsables de las primeras comunidades, que dieron comienzo a la tradición cristiana, vigente desde entonces siempre en la Iglesia. Esta tradición sintió el deber de confirmar con la *Alocución Apostólica Ordinatio sacerdotales* (22 de mayo de 1994), declarando que «la Iglesia no tiene en modo alguno la facultad de conferir a las mujeres la ordenación sacerdotal y que esta afirmación debe ser tenida como definitiva por todos los fieles de la Iglesia» (n. 4). Aquí está en juego la fidelidad al ministerio pastoral tal como fue instituido por Cristo [21].

Relación entre Magisterio de la Iglesia y teología

La Iglesia tiene necesidad de sus teólogos particularmente en este tiempo y en esta época tan profundamente marcada por los cambios radicales en todas las esferas de la vida y de la sociedad. Obispos de la Iglesia, a los cuales el Señor ha confiado la tarea de conservar la unidad de la fe y la predicación del mensaje —individualmente para sus propias diócesis y colegiadamente con el sucesor de Pedro para la Iglesia Universal—: tenemos todos necesidad de vuestro trabajo de teólogos, de vuestra dedicación y de los frutos de vuestra reflexión. Deseamos escucharos y estamos dispuestos a recibir la válida asistencia de vuestra preparación científica responsable.

Pero esta auténtica preparación teológica, y por la misma razón, vuestra enseñanza teológica, no puede ser real y fructífera si no mira dentro de sí en su inspiración y en su fuente, que son la palabra de Dios contenida en la Sagrada Escritura y en la Sagrada Tradición de la Iglesia, tal como es interpretada por el Magisterio auténtico a lo largo de la historia (cfr. DV 10). La verdadera libertad académica debe ser considerada en su relación con el objetivo final de la tarea académica, que se refiere a la verdad total de la persona humana. La contribución del teólogo enriquecerá la Iglesia únicamente si tiene en consideración la función propia de los obispos y los derechos de los fieles. Eso transfiere a los obispos la salvaguardia de la autenticidad cristiana, de la unidad de la fe y de la enseñanza de la moral, según las exhortaciones del apóstol Pablo: «*Pre-*

dica la palabra, insiste a tiempo y a destiempo» (2 *Tim* 4, 2). Rechaza lo falso, corrige el error, anima a la obediencia... Es derecho de los fieles no ser turbados por teorías y por hipótesis que no son capaces de juzgar o que pueden fácilmente ser recortadas o manipuladas por la opinión pública con fines muy lejanos a la verdad. En el día de su muerte, Juan Pablo I afirmaba: «Entre los derechos de todo fiel, uno de los más grandes, es el de recibir la palabra de Dios en toda su integridad y pureza...» (28 de septiembre de 1979). Es justo que el teólogo sea libre, pero con aquella libertad que está abierta a la verdad y a la luz que proceden de la fe y de la fidelidad a la Iglesia [22].

La Iglesia auspicia una investigación teológica autónoma, que no se identifica con el Magisterio eclesiástico, pero que está comprometida frente al mismo en el común servicio a la verdad de la fe y al pueblo de Dios. No se puede evitar que surjan tensiones e incluso conflictos. Y esto no se puede evitar tampoco en lo referente a la relación entre la Iglesia y la ciencia. El motivo hay que buscarlo en la finitud de nuestra razón, limitada en su extensión y por lo tanto expuesta al error. Tampoco podemos esperar siempre una solución de reconciliación, si nos basamos precisamente en la capacidad de esta misma razón para alcanzar la verdad [23].

La teología es una ciencia con todas las posibilidades del conocimiento humano. Es libre en la aplicación de sus métodos y análisis. Pero la teología debe tener en cuenta la relación que tiene con la Iglesia. La fe no la debemos a nosotros mismos: «está edificada sobre los apóstoles, y el mismo Cristo es la piedra angular» (cfr. *Ef* 2, 20). Además la teología debe presuponer la fe. Puede esclarecerla y promoverla, pero no puede producirla. La teología está siempre a la espalda de nuestros padres en la fe. Sabe que su ámbito específico no son datos u objetos históricos en un alambique artificial, sin la fe vivida por la Iglesia. Por eso, el teólogo enseña en nombre y por mandato de la Iglesia, que es comunión de fe. Él puede y debe avanzar nuevas propuestas para la comprensión de la fe, pero éstas se ofrecen a toda la Iglesia. Son necesarias muchas correcciones e integraciones hasta que toda la Iglesia pueda aceptarlas.

La teología es, de la forma más profunda, un servicio muy desinteresado a la comunidad de los creyentes, lo cual significa esencialmente disputa objetiva, diálogo fraterno, apertura y disponibilidad al cambio de la propia opinión.

El creyente tiene el derecho de saber hasta qué punto puede contar con la fe. La teología debe mostrar al hombre dónde debe afirmarse, en definitiva. El Magisterio interviene sólo para constatar la verdad de la palabra de Dios, sobre todo cuando ésta está amenazada por falsas deformaciones y falsas interpretaciones. En este contexto se ha de tener presente también la infalibilidad del Magisterio eclesiástico.

El amor a la Iglesia concreta, que supone también la fidelidad al testimonio de la fe y al Magisterio eclesiástico, no distrae al teólogo de su trabajo ni quita nada a esta autonomía irrenunciable. El Magisterio y la teología tienen fines distintos. Por eso no se pueden reducir el uno a la otra. Pero ambos están al servicio de la misma causa. Precisamente por razón de esta estructura han de permanecer en constante diálogo entre sí. En los años que siguieron al Concilio hubo muchos ejemplos de buena colaboración entre la teología y el Magisterio. Sobre esta base, y aunque hayan de surgir nuevos conflictos, continuad vuestra labor con respecto al significado de la fe común, de la común esperanza y del amor que nos une a todos [24].

La auténtica teología

Este estudio de la teología que existe por todas partes en la Iglesia, es una reflexión sobre la fe y una reflexión en la fe. Una teología que no profundice en la fe, que no conduzca a la oración, puede ser un discurso de palabras sobre Dios; pero no podría ser nunca un auténtico discurso sobre Dios, el Dios viviente, el Dios que es, cuya esencia es el amor. Solamente la Iglesia logra que la teología sea auténtica, en la comunidad de fe. Solamente cuando la enseñanza de los teólogos es acorde con la enseñanza de los obispos unidos con el Papa, el Pueblo de Dios puede saber con certeza que esta enseñanza es *«la fe que una vez por todas y para siempre ha sido transmitida a los creyentes»* (Judas 3).

Esto no es una limitación para los teólogos, sino una liberación porque los preserva de modas cambiantes y los mantiene ligados con seguridad a la inmutable verdad de Cristo, la verdad que nos hace libres (*Jn* 7, 32) [25].

Catequesis y ortodoxia

Los cristianos de hoy deben estar formados para vivir en un mundo que en gran parte ignora a Dios o que, en materia religiosa, en lugar de fomentar un diálogo exigente y fraterno, estimulante para todos, cae demasiado frecuentemente en una indiferencia igualitaria, cuando no se reliega endurecido en una actitud de desprecio y de «sospecha», en nombre de sus progresos en materia de «explicaciones» científicas. Para llegar a «tener algo» en este mundo, para ofrecer a todos un «diálogo de salvación», en el cual cada uno se sienta respetado en su dignidad verdaderamente fundamental, la del que busca a Dios, nosotros tenemos necesidad de una catequesis que enseñe a los jóvenes y a los adultos de nuestras comunidades a ser lúcidos y coherentes en su fe, a afirmar con serenidad su identidad cristiana y católica, a «ver lo invisible» y a adherirse tan fuertemente a lo absoluto de Dios que puedan dar testimonio de Él en medio de una civilización materialista que lo niega [26].

Cuando se habla de la pedagogía de la fe, no se trata de transmitir un saber humano, aun siendo éste el más elevado; se trata de comunicar en toda su integridad la revelación de Dios [27].

El don más precioso que la Iglesia puede ofrecer al mundo contemporáneo, desorientado e inquieto, es formar en él cristianos seguros en lo esencial y humildemente felices en su fe. La catequesis les enseña esto, y ella misma sacará provecho, la primera [28].

Sin establecer monopolios ni rígidas uniformidades, la parroquia se convierte —como he dicho— en el lugar privilegiado de la catequesis. Ella debe redescubrir su propia vocación que es la de ser una casa familiar, fraternal y acogedora, donde los bautizados y los que han sido confirmados tomen conciencia de que son Pueblo de Dios. Allí se les reparte abundantemente el pan de la buena doctrina y el pan de la Eucaristía, en el contexto de un mismo acto de culto; desde allí son enviados todos los días a su misión apostólica, a todos los rincones del mundo [29].

La catequesis familiar precede, acompaña y enriquece cualquier otra forma de catequesis. Además, en los lugares donde una legislación antirreligiosa pretende incluso impedir la educación en la fe, allí donde un difuso sincretismo o un secularismo que lo invade todo hacen prácticamente imposible un verdadero crecimiento religioso, ésta se podría llamar Iglesia doméstica, pues se convierte en el único ambiente en el cual los niños y los jóvenes pueden recibir una auténtica catequesis. Así los padres cristianos no se esforzarán nunca suficientemente en prepararse para tal ministerio de catequesis de sus hijos y para ejercitarlo con un celo incansable. Y de la misma manera es necesario animar a las personas o a las instituciones que, mediante contactos individuales, a través de encuentros o de reuniones y de cualquier tipo de instrumentos pedagógicos, ayudan a estos padres a desarrollar su cometido; ellos rinden un inestimable servicio a la catequesis [30].

La Iglesia y el arte

También el arte, en todas sus manifestaciones —y a ellas se unen las posibilidades ofrecidas por el cine y la televisión— tiene como tema fundamental el hombre, la imagen del hombre, la verdad del hombre. Incluso cuando su apariencia parece decir lo contrario, también el arte contemporáneo es consciente de estas profundas aserciones e instancias. El origen religioso y cristiano del arte no se ha agotado totalmente. Temas como la culpa y la gracia, el engaño y la liberación, la injusticia y la justicia, la misericordia y la libertad, la solidaridad y el amor al prójimo, la esperanza y el consuelo, se encuentran en la literatura actual, en libros de texto y en escenografías; y hallan amplia resonancia.

La colaboración entre la Iglesia y el arte frente al hombre se apoya en el hecho de que ambos desean liberar al hombre de la esclavitud y quieren que él tome conciencia de sí mismo. Ambos le abren el camino de la libertad —libertad de las presiones, de las necesidades, de la productividad a cualquier precio, de la eficacia, de la programación y de la funcionalidad [31].

El caso Galileo

En virtud de la misión que le es propia, la Iglesia tiene el deber de estar atenta a las incidencias pastorales de su palabra. Quede claro, ante todo, que esta palabra ha de corresponder a la verdad. Pero se trata de saber cómo ha de tomarse en consideración un dato científico nuevo cuando éste parece contradecir a las verdades de la fe. El juicio pastoral que requería la teoría copernicana era difícil de expresar en la medida en que el egocentrismo parecía formar parte de la enseñanza misma de la Escritura. Habría sido necesario vencer al mismo tiempo los hábitos de pensamiento e inventar una pedagogía capaz de iluminar al Pueblo de Dios. Digamos, de forma general, que el pastor debe mostrarse presto a una auténtica audacia, evitando el doble escollo de la postura incierta y del juicio apresurado, pudiendo tanto una como el otro hacer mucho mal.

Es un deber para los teólogos mantenerse regularmente informados sobre los avances científicos para examinar, en su caso, si es preciso o no tenerlos en cuenta en su reflexión o realizar ciertas revisiones en su enseñanza.

A partir del Siglo de las Luces, y hasta nuestros días, el caso Galileo ha constituido una especie de mito, en el cual la imagen que se había formado de los acontecimientos estaba bastante lejos de la realidad. En semejante perspectiva, el caso Galileo era el símbolo del supuesto rechazo, por parte de la Iglesia, del progreso científico, o incluso del oscurantismo «dogmático», opuesto a la libre búsqueda de la verdad. Este mito ha jugado un papel cultural considerable; ha contribuido a anclar a numerosos hombres de buena fe en la idea de que existía una incompatibilidad entre el espíritu de la ciencia y su ética de investigación, por una parte, y la fe cristiana por la otra. Una trágica incomprensión recíproca se interpretó como el reflejo de una oposición esencial entre ciencia y fe. Las clarificaciones aportadas por los recientes estudios históricos nos permiten afirmar que tan doloroso malentendido pertenece ya al pasado.

Galileo, que prácticamente inventó el método experimental, había comprendido, gracias a su intuición de físico genial, apoyándose en diversos argumentos, por qué únicamente el sol podía ejercer la función de centro del mundo, tal como entonces se conocía, es decir, como sistema planetario. El error de los teólogos de su tiempo, al sostener la centralidad de la tierra, fue pensar que nuestro conocimiento de la estructura del mundo físico venía, en cierto modo, impuesto por el sentido literal de la Sagrada Escritura. Pero es obligado recordar la célebre sentencia atribuida a Baronio: «*Spiritui Sancto mentem fuisse nos docere quomodo ad coelum eatur, non quomodo coelum graditur*». En realidad, la Escritura no se ocupa de los detalles del mundo físico, cuyo conocimiento se confía a la experiencia y a la razón humanas. Existen dos campos del saber, aquél sobre la revelación y aquél en el cual la razón puede descubrir sólo con sus fuerzas. A este último pertenecen las ciencias experimentales y la filosofía. La distinción entre ambos campos del saber no debe entenderse como una oposición. Los dos sectores no son del todo extraños, sino que tienen puntos de encuentro. Las metodologías propias de cada uno de ellos permiten poner en evidencia los diversos aspectos de la realidad.

Para la humanidad existe un doble género de desarrollo. El primero comprende la cultura, la investigación científica y técnica, es decir, todo aquello que pertenece a la horizontalidad del hombre y de la creación, y que crece a un ritmo impresionante. Si este desarrollo no quiere quedar totalmente externo al hombre, es necesaria una profundización paralela de la conciencia y de su forma de actuar. El segundo modo de desarrollo se refiere a lo que hay de más profundo en el ser humano, de forma que, trascendiendo el mundo y a sí mismo, se vuelve hacia Aquél que es el Creador de todas las cosas. Sólo este itinerario vertical puede, en definitiva, dar todo el sentido al ser y al actuar del hombre, porque lo sitúa entre su origen y su fin. En este doble itinerario, horizontal y vertical, el hombre se realiza plenamente como ser espiritual y como *homo sapiens*. Pero se puede observar que el desarrollo no es uniforme ni rectilíneo, y que el progreso no es siempre armonioso. Esto hace patente el desorden que marca la condición humana. El hombre de ciencia, que toma conciencia de este doble desarrollo y lo tiene en cuenta, contribuye al restablecimiento de la armonía.

Quienes se dedican a la investigación científica y técnica admiten como premisa en su camino que el mundo no es un caos, sino un «cosmos», o sea, que existe un orden y existen leyes naturales, que se dejan conocer y repensar, y que por lo tanto tienen una cierta afinidad con el espíritu. Einstein gustaba de decir: «Lo que en el mundo hay de eternamente incomprensible es que el mundo sea comprensible». (En *The journal of the Franklin Institute*, vol. 221, n. 3, marzo 1936). Esta inteligibilidad, confirmada por los prodigiosos descubrimientos de las ciencias y de la técnica, nos remite en definitiva al pensamiento trascendente y originario cuya impronta está en todas las cosas [32].

El camino de la Iglesia con la humanidad: los derechos de la conciencia, la dignidad de la persona, la verdad como guía de la libertad [33].

El hombre se ha visto obligado a asumir una concepción de la realidad impuesta por la fuerza, no alcanzada con el esfuerzo de su propia razón y el ejercicio de la propia realidad. Es preciso alterar ese principio y reconocer íntegramente los derechos de la conciencia humana, ligada únicamente a la verdad, tanto natural como revelada. Precisamente en el reconocimiento de estos derechos consiste el fundamento básico de todo orden político auténticamente libre [34].

Ningún hombre debe considerarse ajeno o indiferente a la suerte de otro miembro de la familia humana. ¡Ningún hombre puede afirmar que no es responsable de la suerte de su propio hermano! (cfr. *Gn* 4, 9; *Lc* 10, 29-37; *Mt* 25, 31-46) [35].

Hoy en día se tiende a afirmar [...] que todos cuantos están convencidos de conocer la verdad y se adhieren firmemente a ella no son de fiar desde el punto de vista democrático, porque no aceptan que la verdad viene determinada por la mayoría, y que es cambiante según los diferentes equilibrios políticos. A este respecto hemos de afirmar que, si no existe una verdad última que guíe y oriente la acción política, resulta que las ideas y las convicciones pueden ser fácilmente instrumentalizadas para un totalitarismo más o menos evidente, como demuestra la historia [36].

Cuando los hombres creen poseer el secreto de una organización social perfecta que haga imposible el mal, creen también poder hacer uso de todos los medios para ponerla en práctica, incluyendo la violencia y la mentira. En esos casos la política se convierte en una «religión secular» que se hace la ilusión de construir el paraíso en este mundo. Pero ninguna sociedad política que posee su propia autonomía y sus propias leyes podrá confundirse jamás con el Reino de Dios [37].

Puesto que no es una ideología, la fe cristiana no presume de aprisionar en un esquema rígido la cambiante realidad sociopolítica, y reconoce que la vida del hombre se desarrolla en la historia en condiciones diversas y nunca perfectas. Por tanto, la Iglesia, reafirmando constantemente la trascendente dignidad de la persona, tiene como método propio el respeto a la libertad. Pero la libertad es plenamente valorada sólo con la aceptación de la verdad; en un mundo sin verdad la libertad pierde su propia consistencia, y el hombre queda expuesto a la violencia de las pasiones y a condicionamientos patentes u ocultos. El cristiano vive la libertad (cfr. *Jn* 8, 31 ss) y la sirve proclamando continuamente la verdad que él ha descubierto, según exige la naturaleza misionera de su vocación. En el diálogo con los demás hombres, atento a cada parte de verdad que encuentra en la experiencia de la vida y de las culturas de las diferentes naciones, él no renunciará a afirmar todo lo que le ha hecho conocer su fe y el recto ejercicio de la razón [38].

El principal recurso para el hombre [...] es el hombre mismo. Es su inteligencia, que le hace descubrir las potencialidades productivas de la tierra y las múltiples modalidades con las que se pueden satisfacer las necesidades humanas. Es su trabajo disciplinado, en colaboración solidaria, que permite la creación de comunidades cada vez más amplias y más seguras con miras a operar la transformación del ambiente natural e incluso del ambiente humano [39].

La misión de la Iglesia

En todas las épocas, y especialmente en nuestro tiempo, es tarea fundamental de la Iglesia orientar la conciencia y el camino de la humanidad hacia Cristo, acercar al hombre al misterio de la redención. De este modo, los hijos de la Iglesia adquieren la convicción de estar realizando una auténtica actividad de renovación, que desde los ámbitos más profundos de la persona humana se convierte en una nueva forma de ser y de actuar [40].

El Señor es nuestro pastor. Él, Cristo crucificado y resucitado, redentor del hombre y del mundo.

Y la Iglesia, fundada por el mismo Cristo, continúa a lo largo de la historia su obra de redención. Por eso no puede mirar con indiferencia la marcha de la humanidad o la evolución histórica de cada hombre.

Dejaos, pues, iluminar por la Palabra de Dios, interpretada auténticamente por el Magisterio de la Iglesia, que tiene garantía de veracidad, fundada en la asistencia del Espíritu Santo que Cristo le prometió hasta el fin de los tiempos. La Iglesia no os propone un camino fácil: el cristiano, si quiere alcanzar la resurrección no puede desviarse del camino recorrido por su Maestro. Pero en cambio le garantiza la seguridad, porque nuestro guía es el Señor y Él infunde en nuestros corazones la paz y la alegría que el mundo no puede dar [41].

La Iglesia, a pesar de las debilidades de algunos de sus hijos, será siempre fiel a Cristo y, sostenida por el poder de su Fundador y Cabeza —que estará con sus discípulos hasta el fin del mundo (cfr. *Mt* 28, 20)— seguirá proclamando el Evangelio y bautizando a los hombres en el nombre del Padre, del Hijo y del Espíritu Santo [42].

La Iglesia, por su propio patrimonio de fe y de vida, cuenta con la luz y la fuerza más que suficientes para esta transformación de todas las cosas en Cristo. Cada vez que recurrimos a los sistemas ideológicos extraños al Evangelio o de corte materialista como método de lectura de la realidad, o como programa de acción social, cerramos radicalmente toda posibilidad a la verdad cristiana —porque se agotan en las perspectivas temporales— y nos oponemos diametralmente al misterio de unidad en Cristo; un cristiano no puede aceptar la lucha programada de clases como solución dialéctica de los conflictos. No se puede confundir la noble lucha por la justicia, que es una expresión de respeto y de amor por el hombre, con el proyecto que «ve en la lucha de clases la única vía para la eliminación de la injusticia de clases que existe en la sociedad y en las clases mismas» (*Laborem Exercens*, 11).

Sin embargo, no podemos olvidar que la raíz de todo mal está en el corazón del hombre, de cada uno de los hombres, y si no hay una conversión interior y profunda, de poco valdrán las disposiciones legales o los modelos sociales [43].

Hoy más que nunca, en el Estado y en la sociedad, los valores morales fundamentales y los comportamientos morales se ponen en discusión, de forma tan clara y fuerte como clara y fuerte es la necesidad de anunciar a los hombres, y sobre todo a los cristianos, el mensaje íntegro de Cristo, y recordarles de nuevo que la voluntad de Dios es la última norma de la acción moral [44].

La Iglesia al servicio de la verdad y de la caridad

La obra de edificación del Cuerpo de Cristo está confiada a todos nosotros, los que formamos la Iglesia. Hoy, sin duda alguna, existe una exigencia vital de evangelización. Ésta asume una gran variedad de formas. Hay muchas maneras de servir al Evangelio. A pesar del progreso científico y tecnológico, que efectivamente refleja una forma de cooperación humana en la obra creadora de Dios, la fe es desafiada y directamente hostigada por ideologías y estilos de vida que no reconocen a Dios ni una ley moral.

Los valores fundamentales humanos y cristianos son contestados por la violencia, la criminalidad, el terrorismo. La honestidad y la justicia en la vida laboral y pública son frecuentemente violadas. En todo el mundo se gastan cantidades ingentes de dinero en armamento, mientras que millones de pobres luchan por mantener las condiciones elementales de la vida. El alcoholismo y la droga imponen un pesado tributo a individuos concretos de esta sociedad. La explotación comercial del sexo a través de la pornografía ofende la dignidad humana y pone en peligro el futuro de los jóvenes. La vida familiar es sometida a fuertes presiones desde el momento en que el adulterio, la fornicación, el divorcio y la contracepción son consideradas por muchos equivocadamente como cosas aceptables. Los que podrían nacer son cruelmente suprimidos y la vida de los ancianos se pone en grave peligro por una mentalidad que quisiera abrir la puerta a la eutanasia.

Ante todo esto, los cristianos fieles no deben dejarse desanimar, ni deben adaptarse al espíritu del mundo. Por el contrario, ellos son llamados a reconocer la supremacía de Dios y de su ley, a hacer oír su voz y a unir sus esfuerzos en nombre de los valores morales para ofrecer a la sociedad el ejemplo de su recta actuación, y ayudar a los necesitados. Los cristianos están llamados a vivir con la serena convicción de que la gracia es más fuerte que el pecado por la victoria de la cruz de Cristo [45].

La cruz de Cristo nos ha proporcionado la libertad de la esclavitud del pecado y de la muerte. Esta libertad, esta liberación, es tan profunda y universal que exige una libertad de todas las otras formas de esclavitud que se derivan de la entrada del pecado en el mundo. Esta liberación exige una lucha contra la pobreza. Y exige que todos aquéllos que pertenecen a Cristo se empeñen en esfuerzos tenaces para aliviar los sufrimientos de los pobres. Por eso precisamente la misión de evangelización de la Iglesia incluye una enérgica y constante acción a favor de la justicia, de la paz y del desarrollo humano integral. No cumplir estos cometidos significaría minimizar la obra de evangelización; sería traicionar el ejemplo de Jesús, que vino *«a anunciar la buena noticia a los pobres»* (*Lc* 4,18); en realidad sería un rechazar las consecuencias de la Encarnación, en la cual «la Palabra de Dios se hizo carne» (*Jn* 1, 14) [46].

Igual que una buena madre ama a todos sus hijos, jóvenes, viejos, obreros, sin techo, hambrientos o impedidos, los que sufren en su espíritu, los que reconocen sus propios pecados y a través de ella experimentan el contacto salvífico con Cristo, a todos los hombres, y de manera especial a los pobres, la Iglesia les ofrece la Buena

Nueva de la dignidad humana y sobrenatural. En Cristo, el hombre ha sido ensalzado a la categoría de hijo de Dios. El hombre es un hijo de Dios, llamado a vivir esa dignidad en este mundo y destinado a la vida eterna.

La Iglesia es tanto la casa del pobre como del rico, porque *«Dios no hace acepción de personas»* (*Gal* 2.6). Sin embargo cada comunidad eclesial debe realizar un esfuerzo particular para que en ella los pobres se sientan plenamente en su casa[47].

La Iglesia muestra su vitalidad a través de la grandeza de su caridad. No puede tener mayor desgracia que ver debilitarse su amor. La Iglesia no debe ahorrar esfuerzos en hacer patente su misericordia hacia los más necesitados y hacia todas las víctimas del dolor; aliviándolos en su desgracia, sirviéndolos y ayudándolos a encontrar un sentido salvífico a su sufrimiento[48].

Iglesia y cultura

La reflexión sobre la cultura tiene una larga historia en la vida y en el pensamiento de la Iglesia. Efectivamente, ha sido una preocupación constante que se ha acentuado de modo particular en los momentos cruciales de la historia de la humanidad. Estamos frente a un tema realmente central para la vida del hombre y de la Iglesia.

El interés por la cultura es, ante todo, un interés por el hombre y por el mismo sentido de su existencia. Esto mismo afirmé en mi discurso ante la UNESCO hace unos años: «Para crear la cultura es preciso considerar íntegramente y hasta sus últimas consecuencias, al hombre como valor autónomo e individual, como sujeto portador de la trascendencia de la persona. Es preciso afirmar al hombre por sí mismo, y no por otros motivos o razones: ¡únicamente por sí mismo! Más todavía: es preciso amar al hombre por el hecho de ser hombre, es preciso reivindicar el amor al hombre por la particular dignidad que él posee (Discurso ante la UNESCO, 2-6-1980, 10). La cultura debe ser el espacio y el instrumento para que la vida humana sea cada vez más humana (cfr. *Redemptor hominis*, 14; *Gaudium et spes*, 38) y para que el hombre pueda vivir una vida digna, según el plan divino. Una cultura que no esté al servicio de la persona no es una auténtica cultura.

Así, afrontando la evangelización de la cultura, la Iglesia hace una opción radical por el hombre. Su opción es, por tanto, la de un verdadero humanismo integral que eleva la dignidad del hombre hasta su auténtica e irrenunciable dimensión de hijo de Dios. Cristo revela el hombre al hombre mismo (cfr. *Gaudium et spes,* 22), le devuelve su grandeza y dignidad, permitiéndole redescubrir el valor de su humanidad empañada por causa del pecado. ¡Qué gran valor ha de tener el hombre ante los ojos de Dios, para haber merecido tan grande Redentor!

En consecuencia, la acción de la Iglesia no puede asociarse a la de ciertos «humanismos» que se limitan a una visión meramente económica, biológica y psíquica. La concepción cristiana de la vida está siempre abierta al amor de Dios. Fiel a esa vocación, la Iglesia quiere mantenerse por encima de las diferentes ideologías para optar sólo por el hombre a partir del mensaje liberador cristiano.

Esta opción humanística desde el punto de vista cristiano, como toda opción, requiere una clara conciencia de la escala de valores, porque ellos son el fundamento de cualquier sociedad. Sin valores no se tiene la posibilidad de construir una sociedad verdaderamente humana; ellos determinan no solamente el sentido de la vida personal, sino también la política y las estrategias de la vida pública. Una cultura que no mantenga su fundamentación en los valores supremos se vuelve necesariamente contra el hombre.

Los grandes problemas que afligen a la cultura contemporánea parten de este intento de aislar la vida personal y pública de una recta escala de valores. Ningún modelo económico o político servirá plenamente al bien común si no está basado en los valores fundamentales correspondientes a la verdad sobre el ser humano, «la verdad que nos es revelada por Cristo, en toda su plenitud y profundidad» (*Dives in misericordia,* 1, 2). Los sistemas que consideran la realidad económica como factor único y determinante del tejido social están, por su propia lógica interna, condenados a volverse contra el hombre [49].

Notas

1. Homilía en Brisbane, Australia, 25 de noviembre de 1986.
2. A los obispos franceses de la Región Apostólica Provenza Mediterráneo, 11 de diciembre de 1992.
3. Discurso en Troia, Puglia, 25 de mayo de 1987
4. Audiencia general del 25 de noviembre de 1992.
5. Audiencia general del 24 de febrero de 1993.
6. Audiencia general del 10 de marzo de 1993.
7. Encuentro con el clero, los religiosos y los seminaristas. Sarh —El Chad—, 31 de enero de 1990.
8. Carta a los sacerdotes. Jueves Santo 1979.
9. Carta a los sacerdotes, n. 3.
10. Carta a los sacerdotes, n. 10.
11. Filadelfia. Discurso al clero, 4 de octubre de 1979.
12. Discurso con ocasión del Simposio sobre la Participación de los fieles laicos en el Ministerio Presbiteral, 22 de abril de 1994.
13. Audiencia general, 10 de noviembre de 1993.
14. Audiencia general, 10 de noviembre de 1993.
15. Audiencia general, 24 de noviembre de 1993.
16. Audiencia general, 1 de diciembre de 1993.
17. Audiencia general, 26 de enero de 1994.
18. Audiencia general, 22 de junio de 1994.
19. Audiencia general, 13 de julio de 1994.
20. Audiencia general, 27 de julio de 1994.
21. Audiencia general, 27 de julio de 1994.
22. Washington, Discurso en la Universidad Católica, 7 de octubre de 1979.
23. Colonia, Discurso a los licenciados y estudiantes, 15 de noviembre de 1980.
24. Altütting, Discurso a los Profesores de Teología, 18 de noviembre de 1980.
25. Maynooth, Irlanda. Discurso al clero, 1 de octubre de 1979.
26. Exhortación apostólica *Catechesi tradendae*, n. 57.
27. *Catechesi tradendae*, n. 58.

28. *Catechesi tradendae*, n. 61.
29. *Catechesi tradendae*, n. 57.
30. *Catechesi tradendae*, n. 68.
31. Munich, Discurso a los artistas y periodistas, 19 de noviembre de 1980.
32. Discurso ante la Academia Pontificia de Ciencias, 31 de octubre de 1992.
33. Carta encíclica *Centessimus Annus*, 1 de mayo de 1991.
34. CA, n. 29.
35. CA, n. 51.2.
36. CA, n. 46.2.
37. CA, n. 25.3.
38. CA, n. 46, 3.4.
39. CA, n. 32, 3.
40. Discurso en el aeropuerto de Montevideo, 1 de abril de 1987.
41. Homilía en Montevideo, 1 de abril de 1987.
42. Salta, Argentina, 8 de abril de 1989.
43. Discurso a los obispos de Chile, 2 de abril de 1987.
44. Discurso a los obispos de Alemania Federal, Colonia, 30 de abril de 1987.
45. Miami. EE.UU., 11 de septiembre de 1987.
46. Nueva Delhi, 2 de febrero de 1986.
47. Trivandrum, India, 2 de febrero de 1986.
48. Santiago de Chile. Visita al «Hogar de Cristo», 3 de abril de 1987.
49. Discurso a los representantes de la cultura y del empresariado. Lima-Perú, 15 de mayo de 1988.

III. ORACIÓN

«Debemos orar ante todo porque somos creyentes. La oración es el reconocimiento de nuestro límite y de nuestra dependencia: venimos de Dios, somos de Dios y a Dios volvemos».

Necesidad de la oración

La oración es la primera expresión de la verdad interior del hombre, la primera condición de la auténtica libertad del espíritu [...] La Iglesia ora, la Iglesia quiere orar, desea estar al servicio del más sencillo y al mismo tiempo el más espléndido don del espíritu humano, que se realiza en la oración. La Iglesia ora y quiere orar para responder a los deseos de lo más profundo del hombre, que quizás está tan agobiado y limitado por las condiciones de las circunstancias de la vida diaria, de todo aquello que es temporal, de la debilidad, el pecado, el abatimiento, y de una vida que apenas tiene sentido [...] La oración da sentido a toda la vida, en cada momento de ella, en cada circunstancia [1].

Si nos miramos solamente a nosotros mismos, con nuestros límites y nuestros pecados, pronto seremos presa de la tristeza y del desánimo. Pero si mantenemos nuestros ojos vueltos al Señor, entonces nuestros corazones se llenarán de esperanza, nuestras mentes serán iluminadas por la luz de la verdad, y llegaremos a conocer la plenitud del Evangelio con todas sus promesas y su plenitud de vida.

Si verdaderamente deseáis seguir a Cristo, si queréis que vuestro amor a Él crezca y dure, debéis ser asiduos en la oración. Ella es la llave de la vitalidad de vuestro vivir en Cristo. Sin la oración, vuestra fe y vuestro amor morirán. Si sois constantes en la oración cotidiana y en la participación dominical en la Misa, vuestro amor a Jesús crecerá. Y vuestro corazón conocerá la alegría y la paz profundas, una alegría y una paz que el mundo no logrará daros jamás.

Debéis mirar el ejemplo de Cristo. ¿Cómo oraba Jesús?

Ante todo, sabemos que su oración se caracterizaba por un espíritu de alegría y de alabanza. «*El Espíritu Santo llenó de alegría a Jesús que dijo: Yo te alabo, Padre, Señor del cielo y de la tierra*» (*Lc* 10, 21). Además, Él confió a la Iglesia en la Última Cena la celebración de la Eucaristía, que siguió siendo en todos los tiempos el medio más perfecto para rendir al Padre gloria, agradecimiento y alabanza. Sin embargo, ha habido también momentos de sufrimiento en los que, en medio de un gran dolor y de una gran lucha, Jesús abrió su corazón a Dios, tratando de buscar en su Padre consuelo y apoyo. Por ejemplo, en el Huerto de Getsemaní, cuando la lucha interior se hacía cada vez más difícil, «*preso de angustia, oraba más intensamente, y le entró un sudor que chorreaba hasta el suelo, como si fuesen gotas de sangre*» (*Lc* 22, 44). «Oraba más intensamente»; ¡qué ejemplo para nosotros, cuando se nos hace difícil la vida, cuando nos encontramos ante una decisión penosa o cuando luchamos contra la tentación! En momentos como éstos, Jesús oraba más intensamente. ¡Lo mismo debemos hacer nosotros!

Por eso, cuando es difícil orar, lo más importante es no dejar de orar, no rendirse ante el esfuerzo que supone. En estos momentos, volved los ojos a la Biblia y a la liturgia de la Iglesia. Meditad sobre la Biblia y las enseñanzas de Jesús referidas en el Evangelio. Considerad la sabiduría y el consejo de los apóstoles y los mensajes provocadores de los profetas. Tratad de hacer vuestras las hermosas plegarias de los salmos. Hallaréis en la palabra inspirada por Dios el alimento espiritual del que estáis necesitados. Sobre todo, vuestra alma hallará el reposo cuando participéis con todo el corazón junto a la comunidad en la celebración de la Eucaristía, la más grande de las oraciones de la Iglesia [2].

Sólo la persona humana, creada a imagen y semejanza de Dios, es capaz de elevar un himno de alabanza y agradecimiento al Creador. La tierra, con todas sus criaturas, el universo entero, invitan al hombre a ser su voz. Sólo la persona humana es capaz de elevar desde lo profundo de su propio ser aquel himno de alabanza que todas las cosas proclaman sin palabras: «*Bendice al Señor, alma mía, y todo mi ser a su santo nombre*» (*Sal* 103, 1) [3].

Alimentad vuestro día con la oración, buscando momentos de particular intimidad con el Señor, sea personalmente o en grupo. Únicamente un contacto prolongado con Él podrá transformar interiormente a cada uno de nosotros en discípulos suyos. Solamente esta clase de oración, de reflexión, de concentración, prolongada largamente en la silenciosa escucha de Dios, hace capaz al creyente de hablar a los demás del misterio divino, de transmitir y testimoniar el misterio divino ante los otros [4].

El Evangelio nos recuerda *«la necesidad de orar siempre sin desanimarse»* (*Lc* 18, 1). Dedicad, pues, todos los días algún tiempo de vuestra jornada a conversar con Dios, como prueba sincera de que lo amáis, porque el amor busca siempre la cercanía de aquél que se ama. Por lo tanto, la oración debe estar por delante de todo lo demás. El que no piense de este modo, quien no la practica, no puede justificarse por la falta de tiempo; lo que le falta es el amor [5].

Motivos para la oración

Debemos orar, ante todo, porque somos creyentes. La oración es el reconocimiento de nuestro límite, de nuestra dependencia: venimos de Dios, somos de Dios y a Dios volvemos. Por lo tanto no podemos hacer otra cosa que abandonarnos a Él, nuestro Creador y Señor, con plena y total confianza. Algunos aseguran y tratan de demostrar que el universo es eterno y que todo el orden que vemos en él, incluido el hombre con su inteligencia y su libertad, son solamente efecto del azar. Los científicos y las experiencias vividas por muchas personas honestas nos dicen que estas ideas, mantenidas y enseñadas, no son demostrables y dejan siempre desilusionados e inquietos a quienes las sostienen, porque en el fondo saben muy bien que un objeto en movimiento ha de sufrir un impulso exterior. Saben muy bien que la casualidad no puede producir el perfecto orden que vemos en el universo y en el hombre. Todo está prodigiosamente organizado, desde las partículas infinitesimales que componen las cosas hasta las galaxias que giran en el espacio. Todo está indicando un plan que incluye todas las manifestaciones de la naturaleza, desde la materia inerte hasta el pensamiento del hombre. Donde hay orden hay inteligencia, y donde hay un orden superior hay una inteligencia superior, a la que llamamos «Dios», y de la que Jesús nos ha revelado que es amor ¡y nos ha enseñado a llamarle Padre!

De este modo, reflexionando sobre la naturaleza del universo y sobre nuestra misma vida, comprendemos y reconocemos que somos criaturas, limitadas y sin embargo sublimes, que deben su existencia a la infinita majestad del Creador.

Por eso la oración es ante todo un acto de inteligencia, un sentimiento de humildad y de reconocimiento, una actitud de confianza y de abandono a Aquél que ha dado su vida por amor.

La oración es un diálogo misterioso pero real con Dios, un diálogo de confianza y de amor.

Pero nosotros somos cristianos, y por lo tanto hemos de orar como cristianos.

Para el cristiano la oración adquiere una característica particular, que cambia totalmente su íntima naturaleza y su íntimo valor.

El cristiano, discípulo de Cristo es aquél que cree verdaderamente que Jesús es el Verbo encarnado, el Hijo de Dios que ha venido entre nosotros sobre la tierra.

Como hombre, la vida de Jesús fue una continua plegaria, un acto continuo de adoración y de amor al Padre, y puesto que la máxima expresión de la oración y del sacrificio, el culmen de la oración de Jesús es el sacrificio de la cruz, anticipado con la Eucaristía en la Última Cena y transmitido a lo largo de los siglos en la Santa Misa.

Por eso el cristiano sabe que su oración es Jesús; cada plegaria suya parte de Jesús; es Él quien ora en nosotros, con nosotros, por nosotros.

Todo aquél que cree en Dios, ora; pero el cristiano ora en Jesucristo: ¡Cristo es nuestra oración!

La máxima oración es la Santa Misa, porque en ella está realmente presente el mismo Jesús, que renueva el Sacrificio de la cruz; pero toda oración es válida, especialmente el «padrenuestro», que Él mismo quiso enseñar a los apóstoles y a todos los hombres de la tierra.

Pronunciando las palabras del «padrenuestro», Jesús creó un modelo concreto y a la vez universal. De hecho, todo lo que se puede y se debe decir al Padre celestial está encerrado en esas siete peticiones, que todos sabemos de memoria. Esta oración es de una simplicidad tal que hasta un niño puede aprenderla, y al mismo tiempo tiene tal profundidad que se puede pasar toda la vida meditando su sentido.

Finalmente, debemos rezar también porque somos frágiles y culpables. Hemos de reconocer con humildad y realismo que somos pobres criaturas, de ideas confusas, inclinadas al mal, frágiles y débiles, continuamente necesitadas de fuerza interior y de consuelo.

– La oración da la fuerza para los grandes ideales, para mantener la fe, la caridad, la pureza, la generosidad.
– La oración da el valor para levantarse de la indiferencia del pecado, si desgraciadamente se ha sucumbido a la tentación y a la debilidad.
– La oración da luz para ver y considerar los acontecimientos de la propia vida y de la misma historia en la perspectiva salvífica de Dios y de la eternidad. ¡No dejéis de orar! ¡Que no pase un solo día sin que hayáis rezado un poco! La oración es un deber, pero también una gran alegría, porque es un diálogo con Dios por medio de Jesucristo. Cada domingo la Santa Misa, y si es posible, también durante la semana. Cada día la oración de la mañana y de la tarde, y en los momentos oportunos.

San Pablo escribía a los primeros cristianos: «Perseverad en la oración» (*Col* 4, 2); «Vivid en constante oración y súplica guiados por el Espíritu Santo» (*Ef* 6, 18) [6].

El poder de la oración

Las personas tienen siempre un gran interés por la oración. Como los apóstoles, quieren saber cómo deben orar. La respuesta que Jesús da es conocida de todos: es el «padrenuestro», en el cual revela, en unas pocas y sencillas palabras, toda la esencia de la oración. La oración no se centra principalmente en nosotros, sino en el Padre celestial a quien confiamos nuestra vida con fe y confianza. Nuestra primera preocupación debe ser su santo nombre, su reino, su voluntad. Sólo después pedimos nuestro pan de cada día, el perdón y la remisión de nuestras deudas.

El «padrenuestro» nos enseña que nuestra relación con Dios es una relación de dependencia. Nosotros somos sus hijos y sus hijos adoptivos a través de Cristo. Todo lo que somos y todo lo que tenemos procede de Él y a Él está destinado a volver. El «padrenuestro» además nos presenta la oración como una expresión de nuestros deseos. Afligidos como estamos por la debilidad humana, naturalmente pedimos a Dios muchas cosas. Muchas veces podemos sentirnos tentados a pensar que Él no nos escucha o no nos responde. Pero como sabiamente nos recuerda san Agustín, Dios sabe ya de qué tenemos necesidad antes de que se lo pidamos. Él afirma que la oración va a nuestro favor, en el sentido de que en la oración «ejercitamos» nuestros deseos, y así nos aferramos a lo que Dios está preparando para darnos. Para nosotros es una oportunidad de «ensanchar nuestro corazón» (cfr. *Carta a Proba.* Epístola 20).

En otras palabras, Dios nos escucha siempre y nos responde siempre —pero desde la perspectiva de un amor mucho más grande y de un conocimiento mucho más profundo que el nuestro. Cuando parece que Él no escucha nuestros deseos dándonos aquello que le pedimos, por muy desinteresado y noble que sea, en realidad lo que hace es que está purificando nuestros deseos porque hay otro bien más grande, que quizá sobrepasa nuestra comprensión en esta vida: el reto de «ensanchar nuestros corazones» para santificar su nombre, buscar su Reino y aceptar su voluntad. Como Cristo en el Huerto de Getsemaní podemos quizás orar por nosotros mismos o por los demás. *«Padre mío, si es posible, que pase de mí esta copa de amargura; pero no sea como yo quiero, sino lo que quieres tú»* (cfr. *Mt* 26, 39; *Mc* 14, 36; *Lc* 22, 42).

No debemos infravalorar el poder de la oración para sostener la misión redentora de la Iglesia y para poder llevar el bien allí donde reina el mal. Debemos estar unidos en la oración. No oremos sólo por nosotros mismos y por nuestros seres queridos, sino también por las necesidades de la Iglesia universal y por toda la humanidad; por las misiones y por las vocaciones al sacerdocio y a la vida religiosa, por la conversión de los pecadores y la salvación de todos los hombres, por los enfermos y los moribundos. Como miembros de la comunión de los santos, nuestra oración incluye también a las almas que están en el purgatorio, las cuales, por amorosa misericordia de Dios, pueden todavía alcanzar después de la muerte la purificación que necesitan para entrar en la felicidad del Reino de los cielos. La oración además nos hace entender que quizás nuestras preocupaciones y nuestros deseos son pequeños comparados con las necesidades y los sufrimientos de tantos hermanos nuestros en todo el mundo. Existe el sufrimiento espiritual de aquéllos que han perdido el camino en la vida por causa del pecado, o por la falta de fe en Dios. Existe el sufrimiento material de millones de personas que están sin alimento, sin vestido, sin casa, sin medicinas y sin instrucción; de los que no disfrutan de los derechos humanos fundamentales; de quienes están en el exilio o refugiados por causa de la guerra o de la opresión [7].

Devoción y piedad popular

Estoy pensando en aquellas devociones que se practican en ciertas regiones del pueblo fiel con un fervor y una pureza de intención conmovedoras, aunque la fe que las sostiene deba ser purificada e incluso rectificada en no pocos aspectos. Estoy pensando en ciertas oraciones fáciles de entender, que tantas personas sencillas gustan de repetir. Y pienso en determinados actos de piedad practicados con el sincero deseo de hacer penitencia o de complacer al Señor. Bajo la mayor parte de estas oraciones o de estas prácticas, junto a los elementos que deben eliminarse, existen otros que bien empleados podrían servir estupendamente para ayudar a progresar en el conocimiento del misterio de Cristo y de su mensaje: el amor y la misericordia de Dios, la encarnación de Cristo, su cruz redentora y su resurrección, la acción del Espíritu Santo en cada cristiano y en la Iglesia, el misterio del más allá, las virtudes evangélicas que debemos practicar, la presencia del cristiano en el mundo, etc., etc... ¿Y por qué hemos de aludir ciertos elementos no cristianos —a veces incluso anticristianos— rechazando el apoyo sobre los elementos, los cuales, aún teniendo necesidad de revisión y corrección, tienen algo de cristiano en su raíz? [8]

La piedad popular es un auténtico tesoro del Pueblo de Dios. Es una continua demostración de la activa presencia del Espíritu Santo en la Iglesia. Es Él quien enciende en los corazones la fe, la esperanza y el amor, virtudes excelsas que dan valor a la piedad cristiana. Y es el mismo Espíritu Santo quien ennoblece las diferentes formas de expresión del mensaje cristiano, en armonía con la cultura y con las costumbres propias de todos los tiempos y todos los lugares.

Todas las devociones populares genuinamente cristianas deber ser fieles al mensaje de Cristo y a las enseñanzas de la Iglesia.

La piedad popular debe conducirnos siempre hacia la piedad litúrgica, que lleva consigo una participación consciente y activa en la oración común de la Iglesia.

Estas celebraciones de la Iglesia hacia las cuales debe canalizarse dócilmente la religiosidad popular son, sin duda alguna, momentos de gracia.

La fe en los patronos de cada lugar, los tiempos de misión, las peregrinaciones a los santuarios, son todas ellas invitaciones que el Señor hace a toda la comunidad —y a cada uno— para seguir adelante en el camino de la salvación.

No esperéis sin embargo a que lleguen estas grandes festividades. Id a Misa los domingos, santificando así el día del Señor, dedicándolo al culto divino, al legítimo descanso y a una vida familiar más intensa. Haced de forma que en ninguna de vuestras jornadas de trabajo falten momentos de oración personal o familiar, en el seno de la iglesia doméstica que es la familia, de modo que toda vuestra actividad esté llena de la luz y de la gracia de Dios.

La Eucaristía, centro y luz de la vida cristiana

En la Eucaristía todos nosotros recibimos la gracia y la fuerza para la vida de cada día, para vivir una existencia verdaderamente cristiana, en la alegría de saber que Dios nos ama, que Cristo ha muerto por nosotros y que el Espíritu Santo vive en nuestro interior.

Nuestra plena participación en la Eucaristía es la verdadera fuente del espíritu cristiano que deseamos ver en nuestra vida personal y en todos los aspectos de la sociedad. En cualquier lugar en el que desarrollemos nuestra actividad, en la política, la economía, la cultura, el campo social o científico —cualquiera que sea nuestra ocupación—, la Eucaristía es un impulso para nuestra vida cotidiana.

Debe haber siempre una coherencia entre lo que creemos y lo que hacemos. No podemos vivir basándonos en las glorias pasadas de nuestra vida cristiana. Nuestra unión con Cristo en la Eucaristía ha de manifestarse en la verdad de nuestra vida de hoy; en nuestras actuaciones, en nuestras orientaciones, en nuestra forma de vida, en nuestras relaciones con los demás. Para cada uno de nosotros la Eucaristía es una llamada al esfuerzo cada vez mayor para vivir como verdaderos seguidores de Cristo, veraces en nuestro hablar, generosos en nuestros actos, atentos y respetuosos con la dignidad y los derechos de todos, cualquiera que sea su rango o sus credenciales, prestos al sacrificio personal, leales y justos, generosos, prudentes, compasivos y moderados, teniendo en cuenta el bien de nuestras familias, de nuestros jóvenes, de nuestra patria, de Europa entera y del mundo. La verdad de nuestra unión con Cristo en la Eucaristía se comprueba si realmente amamos a nuestro prójimo, hombres y mujeres, en la forma en que tratemos a los demás, especialmente a nuestras familias: marido y mujer, padres e hijos, hermanos y hermanas. Se comprueba en el esfuerzo que hagamos o dejemos de hacer por reconciliarnos con nuestros enemigos, para perdonar a cuantos nos han hecho mal o nos han ofendido [9].

En el contexto de la sociedad agnóstica en que vivimos, dolorosamente hedonista y permisiva, es fundamental profundizar la doctrina referente al augusto misterio de la Eucaristía, de tal forma que podamos adquirir y mantener la certeza de la naturaleza y la finalidad de este sacramento, al que se puede llamar con justicia centro del mensaje cristiano y de la vida de la Iglesia. La Eucaristía es el misterio de los misterios; por eso su aceptación significa acoger totalmente el paso de Cristo y de la Iglesia de los preámbulos de la fe hasta la doctrina de la Redención, al concepto de sacrificio y de sacerdocio consagrado, al dogma de la «transubstanciación», al valor de la legislación en materia litúrgica.

Hoy es necesaria, ante todo, la certeza, para situar la Eucaristía en su exacto puesto central, para valorar en su justo sentido la santa Misa y la Comunión, para retornar a la pedagogía eucarística, fuente de vocaciones sacerdotales y religiosas, fuerza interior para practicar las virtudes cristianas...

Hoy es tiempo de reflexión, de meditación y de plegaria para volver a dar a los cristianos el sentido de la adoración y el fervor; solamente de la Eucaristía profundamente conocida, amada y vivida se puede esperar aquella unidad en la verdad y en la caridad querida por Cristo y propagada por el Concilio Vaticano II [10].

La Eucaristía es el sacramento de su Cuerpo y de su Sangre, que Él mismo ofreció una vez por todas (*Ef* 9, 26-28) para liberarnos del pecado y de la muerte, y que confió a su Iglesia para que haga la misma ofrenda, bajo las especies de pan y vino y con ellas alimente siempre a sus fieles, a nosotros, los que estamos en torno al altar. La Eucaristía es, pues, el sacrificio por excelencia, el mismo de Cristo sobre la cruz, mediante el cual recibimos a Cristo mismo, todo entero, Dios y hombre [11].

El sacrificio del Hijo es único e insustituible. Se cumplió una sola vez en la historia de la humanidad. Y este sacrificio único e insustituible permanece para siempre. El acontecimiento del Gólgota pertenece al pasado. La realidad de la Trinidad constituye eternamente un «hoy» divino. Y por eso toda la humanidad participa en este «hoy» del sacrificio del Hijo. La Eucaristía es el sacramento de este «hoy» insondable. La Eucaristía es el sacramento —el más grande que tiene la Iglesia— por el cual el «hoy» divino de la Redención del mundo se encuentra con nuestro «hoy» humano en una forma siempre humana[12].

«Hemos de considerar la importancia de la participación en la celebración dominical de la Eucaristía, prescrita por la Iglesia. Es para todos el más elevado acto de culto en el ejercicio del sacerdocio universal, de la misma manera que la oferta sacramental de la Misa lo es en el ejercicio del sacerdocio ministerial para los sacerdotes. La participación en el banquete eucarístico es para todos una condición de unión vital con Cristo, como Él mismo ha dicho: *"Yo os aseguro que si no coméis la carne del Hijo del hombre y no bebéis su sangre, no tendréis vida en vosotros"* (*Jn* 6, 53). El Catecismo de la Iglesia Católica recuerda a todos los fieles el significado de la participación dominical en la Eucaristía (cfr. CC n. 2181-2182). Quiero terminar aquí con las conocidas palabras de la primera carta de Pedro, que esculpen la figura de los laicos como partícipes del misterio eucarístico eclesial: *"También vosotros, como piedras vivas, vais construyendo un templo espiritual dedicado a un sacerdocio santo, para ofrecer, por medio de Jesucristo, sacrificios espirituales agradables a Dios"* (*1 Pe* 2, 5)[13].

Para todo fiel católico la participación en la santa Misa dominical es, al mismo tiempo, un deber y un privilegio; una dulce obligación de corresponder al amor de Dios hacia nosotros, para después dar testimonio de este amor en nuestra vida cotidiana [...] Para cada familia cristiana el cumplimiento del precepto dominical debe ser motivo fundamental de alegría y de unidad. Cada domingo todos, y cada uno en particular [...] tenéis una cita con el amor de Dios. ¡No podéis faltar a ella![14].

Sacramentos y oración cristiana

El Bautismo: Instituido por el Salvador, es el primero de los sacramentos, que elimina el pecado original, vuelve a dar al alma la gracia santificante, introduce a quienes lo reciben en la vida trinitaria de Dios, haciéndolo hijo adoptivo del Padre, hermano de Jesús, miembro de pleno derecho del pueblo cristiano, cuerpo místico de Cristo, heredero de la eterna felicidad del paraíso.

Nacer significa entrar en un proyecto divino concreto: nadie viene al mundo por casualidad; por el contrario, cada uno tiene una misión particular que cumplir que, por supuesto, no podemos conocer plenamente desde el primer momento, pero que un día nos será totalmente revelada. Que nos guíe, pues, la certeza de que somos instrumentos de Dios, que por amor nos ha creado, y que espera se lo paguemos con nuestro amor [15].

La Confirmación: El sacramento de la Confirmación es como un complemento del Bautismo, la etapa de maduración en el camino hacia la inserción plena en el misterio de Cristo y hacia la aceptación responsable de la vocación en la Iglesia. Para comprender el significado de este sacramento es necesario que reflexionemos sobre todo en el valor de todos los sacramentos. Ellos hacen revivir en nosotros el Evangelio, es decir, traen a nuestra vida y comunican a nuestra existencia personal la figura, la vida, los misterios, la palabra y los acontecimientos de la misma vida de Jesús. Jesús se nos acerca, entra en nuestra historia precisamente a través de estos signos sacramentales, concretos y visibles. Con estos signos Jesús nos llama, nos asocia a su misión, nos hace partícipes de todos los misterios de su vida. En la misión de Jesús el momento de Pentecostés es fundamental, porque con la entrega del don del Espíritu Santo los discípulos pueden comprender toda la verdad del Señor, y su espíritu queda regenerado en la plenitud de la participación de la vida sobrenatural [16].

Un don del que tienen necesidad los hombres de hoy, que se encuentran particularmente expuestos a los ataques, las insidias y las seducciones del mundo. Es la fortaleza, el don del valor y de la constancia en la lucha contra el espíritu del mal que cerca con sus ataques a quien vive sobre la tierra para alejarlo de la vida del cielo. Especialmente en el tiempo de tentación y de sufrimiento, muchos cristianos corren el peligro de vacilar y de ceder. Para los cristianos existe siempre el peligro de caer de la altura de su vocación, de desviarse de la lógica de la gracia bautismal que se les ha concedido como germen de vida eterna. Precisamente para eso nos reveló y nos prometió Jesús el Espíritu Santo como confortador y defensor. Él nos concede el don de la fortaleza sobrenatural, que es una participación del poder y la firmeza del Ser divino [17].

La Unción de los enfermos: Por medio de este sacramento y de todo su servicio pastoral, la Iglesia sigue teniendo cuidado de los enfermos y de los moribundos como hizo Jesús durante su ministerio terrenal. Con la imposición de las manos por parte del sacerdote, la unión con óleo y la oración, nuestros hermanos y hermanas son reconfortados con la gracia del Espíritu Santo. Así son capaces de soportar sus sufrimientos con valor y de esta forma abrazar la cruz y seguir a Cristo con mayor fe y esperanza.

La sagrada unción no evita la muerte física, ni tampoco promete una curación milagrosa en el cuerpo. Pero realmente aporta una gracia y un consuelo especial a los moribundos, preparándolos para un encuentro con nuestro amante Salvador en fe y amor, y con la firme esperanza de la vida eterna. Además aporta consuelo y fuerza a quienes están a punto de morir y sufren de graves enfermedades o por su avanzada edad. Para ellos pide la Iglesia la curación tanto del cuerpo como del alma, orando para que toda la persona sea renovada por el poder del Espíritu Santo.

Cuantas veces celebra la Iglesia este sacramento, proclama su credo en la victoria de la cruz. Es como si estuviésemos repitiendo las palabras de san Pablo: «*Estoy seguro de que ni muerte ni vida, ni ángeles, ni otras fuerzas sobrenaturales, ni lo presente ni lo futuro, ni poderes de cualquier clase, ni lo de arriba ni lo de abajo, ni cualquier otra criatura podrá separarnos del amor de Dios manifestado en Cristo Jesús, Señor nuestro*» (*Rm* 8, 38, 39) [18].

La infancia espiritual, secreto de la salvación

Narra el evangelista san Mateo que Jesús «*llamó a un niño, lo puso en medio de ellos y dijo: Os aseguro que si no cambiáis y os hacéis como los niños no entraréis en el reino de los cielos. El que se haga pequeño como este niño, ése es el mayor en el reino de los cielos*» (*Mt* 18, 2-4).

Ésta es la desconcertante respuesta de Jesús: para entrar en el Reino de los cielos la condición indispensable es hacerse pequeños y humildes como los niños.

Está claro que Jesús no quiere obligar al cristiano a permanecer en una situación de infantilismo permanente, de tranquila ignorancia, de insensibilidad ante los problemas de nuestro tiempo. ¡Todo lo contrario! Pero pone al niño como modelo para entrar en el Reino de los cielos por el valor simbólico que el niño encierra:

– en primer lugar, el niño es inocente, y para entrar en el Reino de los cielos el primer requisito es la vida de «gracia», la inocencia, mantenida o recuperada, la exclusión del pecado, que siempre es un acto de orgullo y de egoísmo;

– en segundo lugar, el niño vive de la fe, se fía de sus padres y se abandona con total disponibilidad a quienes lo quieren y lo guían. Así también el cristiano debe ser humilde y abandonarse con toda confianza a Cristo y a la Iglesia. El gran peligro, el gran enemigo siempre es el orgullo, y Jesús insiste en la virtud de la humildad, porque ante lo infinito no cabe otra actitud que la humildad. Además, la humildad y la verdad son señal de inteligencia y fuente de serenidad;

– por fin, el niño se contenta con las pequeñas cosas, que bastan para hacerlo feliz. Un pequeño éxito, un pequeño regalo merecido, una alabanza, lo llenan de alegría.

Para entrar en el Reino de los cielos es necesario tener sentimientos grandes, inmensos, universales; pero es preciso saber contentarse con las cosas pequeñas, con los cometidos encomendados por la obediencia, con la voluntad de Dios expresada en el instante fugaz, con aquellas alegrías cotidianas que nos ofrece la providencia; es preciso hacer de cada tarea, por pequeña que sea, una obra de arte de amor y de perfección.

¡Hemos de convertirnos a la pequeñez, para entrar en el Reino de los cielos! Recordemos la intuición genial de santa Teresa de Lisieux, cuando meditó aquel versículo de la Escritura: *«El que sea inexperto, venga a mí»* (*Pr* 9, 4). Descubrió que el sentido de la «pequeñez» era como un ascensor que más rápida y más fácilmente la llevaría a la santidad: «Tus brazos, oh Jesús, son el elevador que me hará subir hasta el cielo. Por eso yo no tengo necesidad de hacerme grande; al contrario, es preciso que siga siendo pequeña y que lo sea cada vez más» [19].

Encuentro con María, Madre de Cristo y Madre de la Iglesia

Confortada con la presencia de Cristo (cfr. *Mt* 28, 20), la Iglesia camina en el tiempo hacia la consumación de los siglos y promueve el encuentro con el Señor que viene; pero en este camino avanza sobre los pasos del itinerario cubierto por la Virgen María, la cual «avanzó en la peregrinación de la fe y mantuvo fielmente su unión con el Hijo hasta la cruz» (LG, 58).

En el designio salvífico de la Santísima Trinidad, el misterio de la encarnación constituye el cumplimiento sobreabundante de la promesa hecha por Dios a los hombres después del pecado original, después de aquel primer pecado cuyos efectos pesan sobre toda la historia del hombre en la tierra (cfr. *Gn* 3, 15). Viene al mundo un Hijo, el «*linaje de la mujer*» que derrotará el mal del pecado en su misma raíz: «*aplastará la cabeza de la serpiente*». Como resulta de las palabras del protoevangelio, la victoria del Hijo de la mujer no sucederá sin una dura lucha, que penetrará toda la historia humana. La «*enemistad*», anunciada al comienzo, es confirmada en el Apocalipsis, libro de las realidades últimas de la Iglesia y del mundo, donde vuelve de nuevo la señal de la «*mujer*», esta vez «*vestida de sol*» (*Ap* 12, 1).

María, madre del Verbo encarnado, está situada en el centro mismo de aquella «enemistad», de aquella lucha que acompaña la historia de la humanidad en la tierra y la historia misma de la salvación. En ese lugar, ella, que pertenece a los «humildes y pobres del Señor», lleva en sí, como ningún otro entre los seres humanos, aquella «gloria de la gracia» que el Padre «nos agració en el amado», y esa gracia determina la extraordinaria grandeza y belleza de todo su ser. María permanece así ante Dios, y también ante la humanidad entera, como el signo inmutable e inviolable de la elección por parte de Dios, de la que habla la carta paulina: «*Nos ha elegido en Él antes de la fundación del mundo..., eligiéndonos de antemano para ser sus hijos adoptivos*» (*Ef* 1, 4.5). Esta elección es más fuerte que toda la experiencia del mal y del pecado, que toda aquella enemistad con la que ha sido marcada la historia para siempre. En esta historia María sigue siendo una señal de esperanza segura. (*Redemptoris Mater*, n. 11).

María está perfectamente unida a Cristo en su despojamiento. En efecto, «*Cristo..., siendo de condición divina, no retuvo ávidamente el ser igual a Dios. Sino que se despojó de sí mismo, tomando la condición de siervo, haciéndose semejante a los hombres*»; concretamente en el Gólgota «*se humilló a sí mismo, obedeciendo hasta la muerte, y muerte de cruz*» (cfr. *Flp* 2, 5-8) A los pies de la cruz, María participa por medio de la fe en el desconcertante misterio de este despojamiento. Es ésta tal vez la más profunda «kénosis» de la fe en la historia de la humanidad. Por medio de la fe la madre participa en la muerte del Hijo, en su muerte redentora; pero, a diferencia de la de los discípulos que huían, era una fe mucho más iluminada. Jesús en el Gólgota, a través de la cruz, ha confirmado definitivamente ser el «signo de contradicción» predicho por Simeón. Al mismo tiempo, se han cumplido las palabras dirigidas por él a María: «¡y a ti misma una espada te atravesará el alma!» (*Redemptoris Mater*, n. 18)

En la economía de la gracia, realizada bajo la acción del Espíritu Santo, hay una particular correspondencia entre el momento de la encarnación del Verbo y el del nacimiento de la Iglesia. La persona que une estos dos momentos es María: María en Nazaret y María en el cenáculo de Jerusalén. En ambos casos su presencia discreta pero esencial, indica el camino del «nacimiento por el Espíritu». Así, aquélla que está presente en el misterio de Cristo como madre, se hace presente —por voluntad del Hijo y por obra del Espíritu Santo— en el misterio de la Iglesia. También en la Iglesia sigue ejerciendo una presencia maternal, como indican las palabras pronunciadas desde la cruz: «*Mujer, he ahí a tu hijo. He ahí a tu madre*»

La dimensión mariana de la vida de un discípulo de Cristo se expresa de una forma especial precisamente mediante esa entrega filial a la mirada de la Madre de Dios, que tuvo su comienzo en el testamento del Redentor en el Gólgota. Confiándose filialmente a María, el cristiano, igual que el apóstol Juan, acoge «entre lo que le es propio» a la Madre de Cristo y la introduce en el espacio de su propia vida interior, es decir, en su «yo» humano y cristiano; «La tomó consigo». Así intenta entrar en el radio de acción de aquel «materno amor» con el cual la Madre del Redentor «se hizo cargo de los hermanos de su Hijo» (131) «en cuya regeneración y formación coopera» (132), en la medida del don concedido a cada uno por la fuerza del Espíritu de Cristo. Así se explica también aquella maternidad en el espíritu que ha venido a ser la función de María bajo la cruz y en el cenáculo [20].

«Socorre al pueblo que sucumbe y lucha por levantarse». Estas palabras se refieren a todo hombre, a las comunidades, a las naciones y a los pueblos, a las generaciones y a las épocas de la historia humana, a nuestros días, a estos años del milenio que está por concluir: «Socorre, sí, socorre al pueblo que sucumbe».

Ésta es la invocación dirigida a María: Santa Madre del Redentor. Es la invocación dirigida a Cristo, que por medio de María ha entrado en la historia de la humanidad. Año tras año, la antífona se eleva a María, evocando el momento en el que se ha realizado este esencial cambio histórico, que perdura irreversiblemente: el cambio entre el «caer» y el «levantarse».

La humanidad ha hecho admirables descubrimientos y ha alcanzado resultados prodigiosos en el campo de la ciencia y de la técnica, ha llevado a cabo grandes obras en la vía del progreso y de la civilización, y en épocas recientes se diría que ha conseguido acelerar el curso de la historia. Pero el cambio fundamental, cambio que se puede definir «original», acompaña siempre el camino del hombre y, a través de los diversos acontecimientos históricos, acompaña a todos y a cada uno. Es el cambio entre el «caer» y el «levantarse», entre la muerte y la vida. Es también un constante desafío a las conciencias humanas, un reto a toda la conciencia histórica del hombre: el reto a seguir la vía del «no caer» en los modos de siempre antiguos y siempre nuevos, y del «levantarse», si ha caído (*Redemptoris Mater*, n. 52).

En María se revela plenamente el valor atribuido en el plan divino a la persona y a la misión de la mujer. Para convencerse, basta reflexionar en el valor antropológico de los aspectos fundamentales de la Mariología: María es la «llena de gracia» desde el primer momento de su existencia, hasta el punto de ser preservada del pecado. Evidentemente el favor divino fue concedido con abundancia a la que es «bendita entre todas las mujeres», y desde María se refleja sobre la misma condición de la mujer, excluyendo cualquier inferioridad (cfr. *Redemptoris Mater*, 7-11).

María está además incluida en la alianza definitiva de Dios con la humanidad. Le corresponde el papel de dar su consentimiento, en nombre de la humanidad entera, a la venida del Salvador. Este papel supera todas las reivindicaciones, incluso las más recientes, de los derechos de la mujer: María tuvo una intervención preeminente, y de una forma humanamente impensable, en la historia de la humanidad, pues con su consentimiento contribuyó a la transformación de todo el destino humano.

Más aún: María cooperó al desarrollo de la misión de Jesús, alumbrando su nacimiento, cuidándolo, estando junto a Él en sus años de vida oculta, así como después, durante los años de su ministerio público, sosteniendo de forma discreta su acción, en los comienzos en Caná, donde obtuvo la primera manifestación del poder milagroso del Salvador. Como dice el Concilio, María fue quien «indujo, con su intercesión, a Jesús, el Mesías, a dar comienzo a sus milagros» (*Lumen gentium*, 58).

Sobre todo, María cooperó con Cristo en la obra redentora, no sólo preparando a Jesús para su misión, sino uniéndose a su sacrificio por la salvación de todos (cfr. *Mulieris dignitatem*, 3-5).

La luz de María puede extenderse, también hoy, sobre todo el mundo femenino, y alcanzar los viejos y nuevos problemas de la mujer, ayudando a todos a comprender su dignidad y a reconocer sus derechos [21].

El Rosario es mi oración predilecta. ¡Maravillosa oración! Maravillosa por su simplicidad y por su profundidad. En esta plegaria repetimos muchas veces las palabras que la Virgen María escuchó del arcángel y de su prima Isabel.

A estas palabras se une toda la Iglesia. Podemos decir que el Rosario es, en cierto modo, una oración-comentario del último capítulo de la Constitución *Lumen gentium* del Vaticano II, capítulo que trata de la admirable presencia de María Madre de Dios en el misterio de Cristo y de la Iglesia. De hecho, teniendo como fondo las palabras «Ave María», desfilan ante los ojos del alma los episodios principales de la vida de Cristo. Se concretan en el conjunto de los misterios gozosos, dolorosos y gloriosos, y podríamos decir que nos hacen entrar en comunión con Jesús a través del corazón de su Madre. Al mismo tiempo nuestro corazón puede encerrar en estas decenas del Rosario todos los acontecimientos que componen la vida de una persona, de una familia, de toda una nación, de la Iglesia y de la humanidad entera. Acontecimientos personales y ajenos, y de manera especial, de aquéllos más próximos, de los que más llevamos en el corazón. Así con el rezo del Rosario seguimos el ritmo de la vida humana [22].

Notas

1. Visita al santuario de la Mentorella, 29 de octubre de 1978.
2. Nueva Orleans. EE.UU. Discurso a los jóvenes, 12 de septiembre de 1987.
3. San Antonio. EE.UU. Homilía, 13 de septiembre de 1987.
4. Benevento. Discurso a los jóvenes, 2 de julio de 1990.
5. Viedma. Argentina, 6 de abril de 1987.
6. Audiencia a los jóvenes, 14 de marzo de 1979.
7. Discurso en la Catedral de St. Mary. Miami, 10 de septiembre de 1987.
8. Exhortación Apostólica *Catechesi tradendae.*
9. Dublín. Homilía, 29 de septiembre de 1979.
10. A los peregrinos de Milán y Alejandría, 14 de noviembre de 1981.
11. Homilía en el Congreso Eucarístico de Haití, 9 de enero de 1983.
12. Homilía en Estrasburgo, 8 de octubre de 1988.
13. Audiencia general, 15 de diciembre de 1993.
14. En Uruguay, 7 de mayo de 1988.
15. Homilía, 2 de enero de 1993.
16. Turín. Homilía en la administración de la Confirmación, 2 de septiembre de 1988.
17. Audiencia general, 25 de junio de 1991.
18. Fénix. EE.UU. Homilía, 14 de septiembre de 1987.

IV. AMOR

«El camino del bien tiene un nombre: se llama amor. En él se puede encontrar la llave de toda esperanza, porque el amor verdadero tiene su raíz en Dios mismo».

Dios es amor

La más grande prueba de amor de Dios consiste en el hecho de que nos ama en nuestra condición humana, con nuestras debilidades y nuestras necesidades. Ninguna otra razón podría explicar el misterio de la cruz.

El amor de Cristo es más fuerte que el pecado y que la muerte. San Pablo nos explica que Cristo vino para perdonar los pecados y que su amor es mayor que cualquier pecado, que cualquiera de mis pecados o de los de cualquier otro. Ésta es la fe de la Iglesia. Ésta es la Buena Nueva del amor de Dios que la Iglesia proclama a través de la historia y que yo os proclamo a vosotros hoy: Dios os ama con un amor sempiterno. Os ama en Cristo Jesús, su Hijo.

El amor de Dios se manifiesta de distintas maneras. De una forma especial, Dios nos ama como Padre nuestro. La parábola del hijo pródigo expresa esta verdad de manera evidente. Recordad aquel momento de la parábola, cuando el hijo entró dentro de sí mismo, decidió volver a casa y se puso en camino de su padre: «Cuando aún estaba lejos, su padre lo vio, y, profundamente conmovido, salió corriendo a su encuentro, lo abrazó y lo cubrió de besos» (*Lc* 15, 20). Así es el amor paternal de Dios, un amor siempre dispuesto a perdonar, ansioso de darnos la bienvenida. El amor de Dios por nosotros como Padre es un amor fuerte y fiel, un amor lleno de misericordia, un amor que nos hace capaces de esperar en la gracia de la conversión, cuando hemos pecado.

Es la realidad del amor de Dios hacia nosotros como Padre lo que explica por qué Jesús nos ha dicho que cuando oremos nos dirijamos a Dios diciendo «Abba, Padre» (cfr. *Lc* 11, 2; *Mt* 6, 9).

También es verdad que el amor de Dios hacia nosotros es como el de una madre. A este respecto, Dios nos pregunta, a través del profeta Isaías: «*¿Acaso olvida una mujer a su hijo, y no se apiada del hijo de sus entrañas? Pues aunque ella se olvide, yo no te olvidaré*» (*Is* 49, 15). El amor de Dios es tierno y misericordioso, paciente y comprensivo. En la Escritura y en la memoria viva de la Iglesia, el amor de Dios se ha representado y vivido como el amor compasivo de una madre.

Dios os ama a todos, sin distinción y sin límites. Y entre vosotros ama a los más viejos, que sienten el peso de los años. Ama a los enfermos y a los que sufren el SIDA, con todos los problemas que de ello se derivan. Ama a los padres, a los amigos de los enfermos y a aquellos que se ocupan de ellos. Nos ama a todos nosotros con un amor incondicional y eterno.

Liberaos de vuestras dudas y de vuestros miedos, y dejad que la misericordia de Dios os atraiga a su corazón. Abrid las puertas de vuestros corazones a nuestro Dios que es rico en misericordia.

«*Considerad qué amor tan grande nos ha demostrado el Padre. Somos llamados hijos de Dios, y así es en verdad*» (*1 Jn* 3, 1). Sí, eso es lo que somos, hoy y para siempre: ¡hijos de un Dios que nos ama! [1]

Sólo Dios es bueno. Eso significa que en Él y sólo en Él todos los valores tienen su origen primero y su pleno cumplimiento. Él es el alfa y la omega, el principio y el fin. Sólo en Él encuentran su autenticidad y su confirmación definitiva. Sin él —sin su referencia a Dios— el mundo de los valores creados queda como suspendido en un vacío absoluto. Pierde su transparencia, su expresividad. El mal se presenta como bien y el bien queda descalificado. ¿No nos está diciendo esto la misma experiencia de nuestro tiempo, en el que Dios ha sido barrido fuera del horizonte de los valores, de las cosas apreciables, de las acciones?

¿Por qué sólo Dios es bueno? Porque Él es amor. Cristo da esta respuesta con palabras del Evangelio y sobre todo con el testimonio de su propia vida y muerte: «*Tanto amó Dios al mundo que le dio a su Hijo unigénito*». Dios es bueno precisamente porque es amor [2].

El amor

El camino del bien tiene un nombre: se llama amor; en él podemos encontrar la llave de toda esperanza, porque el verdadero amor tiene sus raíces en Dios mismo: *«Nosotros hemos conocido y creído en el amor que Dios nos tiene»* (*1 Jn* 4, 16).

El amor es la fuerza constructiva de todo camino positivo para la humanidad. La esperanza del futuro no vendrá de la violencia, el odio, la invasión de egoísmos individuales o colectivos. Privado del amor, el hombre es víctima de una insidiosa espiral que estrecha cada vez más los horizontes de la fraternidad, y al mismo tiempo empuja al individuo a hacer de sí mismo, del propio yo y de los propios placeres el único criterio de juicio. La perspectiva egocéntrica, causa del empobrecimiento del amor verdadero, desarrolla las más graves insidias que hoy están presentes en el mundo de los jóvenes.

Falta de amor es ceder a la indiferencia y al escepticismo; falta de amor es hacerse esclavos de la droga y de la sensualidad desordenada; falta de amor es entregarse a organizaciones que se basan en la violencia y que actúan en la ilegalidad y en la prepotencia [3].

Sin un auténtico y mutuo amor, la familia no puede vivir, no puede crecer, no puede perfeccionarse como comunidad de personas. Ese amor es el que da el don de la vida a los hijos, y empuja a la solidaridad y a la comunión con otras familias. Todo esto exige un gran espíritu de sacrificio, de generosa disponibilidad para la comprensión, el perdón, la reconciliación, impidiendo que el egoísmo, el desacuerdo y las tensiones aniden en la comunidad familiar [4].

Amar es esencialmente darse a los demás. Lejos de ser una inclinación instintiva, es una decisión consciente de la voluntad de ir hacia el otro. Para poder amar en verdad es necesario desprenderse de muchas cosas y sobre todo, de sí mismo, dar gratuitamente, amar hasta el final. Este desnudarse de sí mismo —tarea a largo plazo— nos vincula y nos ensalza. Es una fuente de equilibrio. Es el secreto de la felicidad [5].

Teología del cuerpo

Aunque sea material, el cuerpo no es un objeto entre los demás. Es, ante todo, cada uno mismo, en el sentido de que es la manifestación de la persona, un medio de presencia para los otros, de comunicación, de expresión extremadamente variable. El cuerpo es una palabra, una lengua. ¡Qué maravilla y qué riesgo al mismo tiempo! Jóvenes, muchachas: ¡tened un gran respeto por vuestro cuerpo y por el del otro! ¡Que vuestro cuerpo esté al servicio de vuestro yo profundo! ¡Que vuestros gestos y vuestra mirada sean siempre reflejo de vuestra alma! ¿Culto al cuerpo? ¡No, jamás! ¿Desprecio por el cuerpo? Menos todavía. ¿Dominio del propio cuerpo? ¡Sí! ¿Transfiguración del cuerpo? ¡Mejor todavía! Muchas veces tenéis ocasión de admirar esta maravillosa transparencia del alma en muchos hombres y mujeres en el cumplimiento diario de sus deberes humanos. Pensad en un estudiante, en un deportista que ponen todas sus energías físicas al servicio de sus respectivos ideales. Pensad en el padre y la madre cuyo rostro inclinado sobre su niño respira profundamente la alegría de la paternidad y de la maternidad. Pensad en el músico o en el actor, identificados con los autores que reencarnan. Mirad a un trapense o a cartujo, a la carmelita o la clarisa, totalmente dedicados a la contemplación, hasta el punto de transparentar a Dios.

Os animo a que asumáis el reto y el testigo del dominio cristiano del cuerpo. El deporte bien entendido, que renace hoy más allá del ámbito profesional, es una eficaz ayuda. Este dominio es decisivo para la integración de la sexualidad en vuestra vida de jóvenes y de adultos. Es difícil hablar de la sexualidad en la época actual, marcada por la desinhibición, para la que no faltan razones, pero que desgraciadamente está promovida por una explotación del instinto sexual. La unión de los cuerpos siempre ha sido el lenguaje más fuerte que dos seres pueden dirigirse uno a otro. Por eso semejante lenguaje, que toca el misterio sagrado del hombre y de la mujer, exige que no se hagan nunca gestos de amor sin que estén aseguradas las condiciones de una aceptación total y definitiva del otro, y que el compromiso en ese sentido se haga públicamente en el matrimonio.

Conservad y descubrid una sana visión de los valores del cuerpo. Contemplad a Cristo Redentor del hombre. Él es el Verbo hecho carne que tantos artistas han pintado con realismo, para indicarnos claramente que él asumió todos los aspectos de la naturaleza humana, incluyendo la sexualidad, sublimándola en la castidad [6].

No os dejéis llevar por la exasperación del sexo, que compromete la autenticidad del amor humano y conduce a la disgregación de la familia. *«¿No sabéis que vuestro cuerpo es templo del Espíritu Santo que está en vosotros?»*, escribía san Pablo.

Las muchachas deben tratar de encontrar el verdadero feminismo, la auténtica realización de la mujer como persona humana, como parte integrante de la familia y de la sociedad con una participación consciente según sus características [7].

Somos hijos de un tiempo en el cual, por el desarrollo de varias disciplinas, esta visión integral del hombre fácilmente puede ser rechazada y sustituida por múltiples concepciones parciales, que basándose cada una de ellas en uno u otro aspecto del *compositum humanum*, no alcanzan el *integrum* del hombre, o bien lo dejan fuera del propio campo de visión. Después se unen a esto diversas tendencias culturales que, en base a estas verdades parciales, formulan sus propuestas e indicaciones prácticas sobre el comportamiento humano, y muchas veces incluso, sobre cómo comportarse con el «hombre». El hombre se convierte entonces en un objeto de técnicas concretas y no en el sujeto responsable de sus propios actos.

El hecho de que la teología incluya también el cuerpo no debe admirar ni sorprender a nadie que sea consciente del misterio y de la realidad de la Encarnación. Por el hecho de que el Verbo Divino se ha hecho carne, podemos decir que el cuerpo ha entrado en la teología por la puerta principal, es decir, ha entrado en la ciencia que tiene por objeto la divinidad. La Encarnación —y la redención que brota de ella— se ha convertido en la fuente definitiva de la sacramentalidad del matrimonio.

La biofilosofía contemporánea puede aportar mucha información concreta sobre la sexualidad humana. Sin embargo, la conciencia de la dignidad personal del cuerpo humano y del sexo procede de otras fuentes. Una fuente concreta es la palabra del mismo Dios, que contiene la revelación del cuerpo, aquélla que se remonta hasta el «principio».

Es muy significativo que Cristo, en la respuesta a todas estas preguntas, ordena al hombre volver, en cierto modo, al umbral de su historia teológica. Le manda remitirse hasta el límite entre la inocencia-felicidad original y la herencia de la primera caída. ¿No será que con esto quiere decirle que el camino por el que Él conduce al hombre, hombre y mujer, en el sacramento del matrimonio, el camino de la «redención del cuerpo», debe consistir en recuperar esta dignidad en la que se cumple simultáneamente el auténtico significado del cuerpo humano, su significado personal de comunión? [8]

Visión cristiana de la sexualidad

La sexualidad forma parte del designio originario del Creador y la Iglesia no puede menos de sentir por ella una gran estima. Al mismo tiempo no puede dejar de pedir a todos que respeten su naturaleza profunda.

Como dimensión inscrita en la totalidad de la persona, la sexualidad constituye un lenguaje específico al servicio del amor, y no puede ser vivida como puro instinto. Ha de estar gobernada por el hombre como ser inteligente y libre.

Eso no quiere decir, sin embargo, que pueda ser manipulada a capricho. Posee su propia estructura psicológica y biológica, orientada a la comunión del hombre y la mujer así como al nacimiento de nuevos seres humanos. Respetar esta estructura y esa irrompible conexión no es «biologismo» o «moralismo»; es prestar atención a la verdad del ser hombre y del ser persona. Por razón de dicha verdad, perceptible también a la luz de la razón, es por lo que son inaceptables el llamado «amor libre», la homosexualidad, la contracepción. Se trata de comportamientos que trastocan el significado profundo de la sexualidad humana, impidiéndole ponerse al servicio de la persona, de la comunión y de la vida.

A la Iglesia se le reprocha quizá hacer del sexo un «tabú». ¡La verdad es muy otra! En el transcurso de la historia, en contraste con las tendencias maniqueas, el pensamiento cristiano ha desarrollado una visión armónica y positiva del ser humano, reconociendo el significativo y precioso papel que la masculinidad y la feminidad juegan en la vida del hombre.

El mensaje bíblico es inequívoco: «*Y creó Dios a los hombres a su imagen... varón y hembra los creó*» (*Gn* 1, 27). En esta afirmación está grabada la dignidad de todo hombre y toda mujer, en su igualdad de naturaleza, pero también en su diversidad. Ésta es un dato que afecta profundamente la constitución misma del ser humano. «Del sexo de la persona humana se derivan las características que en el plano biológico, psicológico y espiritual, la hacen ser hombre o mujer» (*Persona humana,* 1).

Lo he afirmado en la *Carta a las familias* con estas palabras: «El hombre es creado desde el principio como hombre y mujer; la vida de la colectividad humana —tanto de las pequeñas comunidades como de la sociedad entera— lleva el signo de esta dualidad originaria. De ella derivan la masculinidad y la feminidad de los individuos concretos, del mismo modo que toda comunidad obtiene su propia riqueza característica a partir de la recíproca complementariedad de las personas» (n. 6) [9].

Pureza y dominio de la sexualidad

La pureza es una «capacidad» o, dicho en el lenguaje habitual de la antropología y de la ética, una actitud. Y en este sentido, es una virtud. Si esa habilidad, es decir, esa virtud, lleva a abstenerse «de la impureza», es porque el hombre que la posee sabe mantener el propio cuerpo con santidad y respeto y no como objeto de pasiones libidinosas. Se trata en este caso de una capacidad práctica, que hace apto al hombre para actuar de una determinada forma y al mismo tiempo a no actuar de la manera contraria. La pureza pues, por ser tal capacidad o virtud, debe obviamente estar enraizada en la voluntad, en el fundamento mismo del querer y del hacer consciente del hombre [10].

Templanza y continencia no significan —si podemos expresarnos así— un sostenerse en el vacío. Ni en el vacío de los valores ni en el vacío del sujeto. El *ethos* de la redención se realiza en el dominio de sí mediante la templanza, es decir, la continencia de los deseos. En este comportamiento, el corazón humano queda vinculado al valor del cual se habría alejado de haberse orientado hacia la pura concupiscencia privada de valor ético (como hemos dicho en el análisis anterior). Y se trata aquí del valor del significado esponsal del cuerpo, del valor de un signo transparente mediante el cual el Creador —junto con el perenne atractivo recíproco del hombre y de la mujer a través de su masculinidad y su feminidad— escribió en el corazón de ambos el don de la comunión, o sea, la misteriosa realidad de su imagen y semejanza. De ese valor se trata en el acto del dominio de sí mismo y de la templanza a la que nos llama Cristo en el sermón de la montaña. (cfr. *Mt* 5, 27-28) [11].

Cristo ve en el corazón, en lo íntimo del hombre, la fuente de la pureza —y también de la impureza moral— en el significado fundamental y más genérico de la palabra. Esto se comprueba, por ejemplo, en la respuesta que dio a los fariseos, escandalizados por el hecho de que sus discípulos *«no observaban la tradición de los antepasados porque no se lavaban las manos para comer»* (cfr. *Mt* 15, 2). En aquella ocasión, Jesús dijo a los presentes: *«Lo que entra por la boca no mancha al hombre; lo que sale de la boca, eso es lo que le mancha»* (*Mt* 15, 11). Pero respondiendo a la pregunta de Pedro, a sus discípulos les explicó estas palabras: *«Lo que sale de la boca viene del corazón, y eso es lo que mancha al hombre. Porque del corazón vienen los malos pensamientos, los homicidios, los adulterios, las fornicaciones, los robos, los falsos testimonios y las injurias. Eso es lo que mancha al hombre; comer sin lavarse las manos no mancha a nadie»* (*Mt* 15, 18-20 y *Mc* 7, 20-23).

De ahí se deduce que el concepto de «pureza» y de «impureza» en sentido moral, es sobre todo un concepto general, no específico, por lo cual todo bien moral es manifestación de pureza y todo mal moral es manifestación de impureza [12].

La «continencia» por el Reino de los cielos

Sin duda, la continencia «por el Reino de los cielos» significa una renuncia, y esa renuncia es al mismo tiempo una afirmación: la que se deriva del descubrimiento del «don». Es al mismo tiempo el descubrimiento de una nueva perspectiva de realización personal de sí mismo «a través de un don sincero de sí» (GS 24). Este descubrimiento está entonces en profunda armonía interior con el sentido del significado esponsal del cuerpo, ligado desde el principio a la masculinidad o a la feminidad del hombre como sujeto personal. Si bien es cierto que la continencia «por el Reino de los cielos» se identifica con la renuncia al matrimonio —que en la vida de un hombre y de una mujer supone el inicio de una familia— no se puede en modo alguno ver en ella una negación del valor esencial del matrimonio. Al contrario, la continencia sirve indirectamente para poner de relieve lo que hay de perenne y de más profundamente personal en la vocación conyugal, aquello que en las dimensiones de la temporalidad (junto con la perspectiva del «otro mundo») corresponde a la dignidad del don personal, relacionado con el significado esponsal del cuerpo en su masculinidad o su feminidad [13].

Significado y valor del matrimonio

Matrimonio y familia están muy unidos con la dignidad personal del hombre. No se derivan del instinto y de la pasión, ni tampoco exclusivamente del sentimiento. Se derivan, ante todo, de una decisión libre de la voluntad, de un amor personal, por el cual los esposos se hacen una sola carne, y también un solo corazón y una sola alma. La comunidad física y sexual es algo grande y hermoso. Pero solamente es digna del hombre si está integrada en una unión personal, reconocida por la comunidad civil y eclesiástica. La plena comunidad sexual entre el hombre y la mujer por tanto sólo tiene un lugar legítimo en el ámbito exclusivo y definitivo del vínculo de fidelidad en el matrimonio. La indisolubilidad de la fidelidad conyugal, que tantos hoy ya no pueden comprender, es también una expresión de la incondicional dignidad del hombre. No se puede vivir sólo para probar. No se puede amar sólo para probar. No se puede morir solamente para probar. Ni tampoco se puede aceptar a un hombre sólo para hacer una prueba y por un cierto tiempo [14].

El matrimonio está orientado a un largo tiempo, al futuro. Mira más allá de su propio horizonte. El matrimonio es el único lugar idóneo para la generación y para la educación de los hijos. Por eso el amor matrimonial también está orientado por su misma esencia a la fecundidad. En esta tarea de transmitir la vida, los cónyuges son colaboradores con el amor de Dios creador. Sé que en la sociedad de hoy hay grandes dificultades en este punto, agravadas de manera especial para la mujer. Las viviendas pequeñas, los problemas económicos y sanitarios, muchas veces incluso una postura abiertamente contraria a las familias numerosas, constituyen un obstáculo para una mayor fertilidad. Hago una llamada a todos los responsables, a todas las fuerzas de la sociedad: haced todo lo posible por ayudarles. Hago una llamada, ante todo, a vuestra conciencia y a vuestra responsabilidad personal, queridos hermanos y hermanas. En vuestra conciencia, en la presencia de Dios, debéis tomar la decisión sobre el número de vuestros hijos.

Como esposos estáis llamados a una paternidad responsable. Pero esto supone una planificación de la familia tal que respete las normas y los criterios éticos [15].

A veces la Iglesia es malentendida y se la considera falta de compasión porque sostiene el plan creador de Dios en el matrimonio y la familia; su plan para el amor humano es la transmisión de la vida.

La Iglesia es siempre el amigo fiel y verdadero de la persona humana en su peregrinar por la vida. Ella sabe que manteniendo la ley moral contribuye a establecer una civilización humana verdadera, y estimula constantemente a las personas a que no abandonen su responsabilidad personal frente a los imperativos éticos y morales.

El orden moral exige que la regla establecida por el Creador para los procesos de vida en el acto de la creación debe ser respetada siempre y en todas partes. La conocida oposición de la Iglesia a la contracepción y la esterilización no es una postura tomada de modo arbitrario, ni se basa en una perspectiva parcial de la persona humana, a la cual se ha dado una vocación que no es solamente natural y terrena, sino también sobrenatural y eterna.

Además, la comprensión de la Iglesia hacia el valor intrínseco de la vida como irrevocable don de Dios explica por qué el Concilio Vaticano II habla de «la altísima misión de proteger la vida» y considera el aborto como un «crimen abominable» (*Gaudium et spes*, 27, 51) [16].

Afrontar el camino de la vocación matrimonial significa aprender el amor conyugal día a día, año tras año, el amor en alma y cuerpo, el amor que *«es paciente y bondadoso, no busca su interés* [...] *no tiene en cuenta el mal»*. El amor que *«encuentra su alegría en la verdad»*, el amor que *«todo lo soporta»* (*1 Cor* 13).

Vosotros los jóvenes tenéis necesidad precisamente de este amor, si vuestro matrimonio debe «superar» la prueba de toda la vida. Esa prueba forma parte de la esencia misma de la vocación que, mediante el matrimonio, intentáis incluir en el proyecto de vuestra vida.

Hoy, en muchos ambientes, los principios de la moral cristiana matrimonial se presentan con una imagen distorsionada. Se trata de imponer en el ambiente y en toda la sociedad un modelo que se autodefine como «progresista» y «moderno». No se propone que en este modelo el hombre, y quizá sobre todo la mujer, pasa de ser sujeto a ser objeto (objeto de una manipulación muy concreta), y el enorme contenido del amor queda reducido a «placer», el cual, aún siendo de ambas partes, no deja de ser egoísta en su misma esencia. Y además el niño, que es el fruto de la nueva encarnación del amor de dos personas, se convierte en un añadido molesto. La cultura materialista y consumista penetra en este maravilloso conjunto del amor conyugal, paternal y maternal, y lo desnuda de aquel contenido profundamente humano que siempre contuvo un reflejo y una marca divina.

¡No permitáis que se os arrebate esta riqueza! No incluyáis en el proyecto de vuestra vida un contenido deformado, empobrecido y falseado: el amor «se alegra con la verdad». Buscad esta verdad allí donde se encuentra realmente. Y si es preciso, estad dispuestos a ir contra corriente, de las opiniones que circulan y de las consignas propagandísticas. No tengáis miedo al amor, que plantea exigencias muy concretas al hombre. Precisamente estas exigencias —como podéis ver en la enseñanza constante de la Iglesia— serán capaces de convertir vuestro amor en un amor verdadero (n. 10) [17].

Indisolubilidad del matrimonio

La Iglesia sabe que va contra corriente cuando enuncia el principio de la indisolubilidad del vínculo matrimonial. El servicio que ella debe hacer a la humanidad le exige mantener constantemente esta verdad, apelando a la voz de la conciencia que, incluso en las más duras condiciones, no se apaga nunca en el corazón del hombre.

Sé que este aspecto de la ética del matrimonio es uno de los más exigentes, y quizá se poducen situaciones matrimoniales realmente difíciles, cuando no dramáticas. En estas situaciones la Iglesia trata de tener una respuesta, un aspecto de Jesús misericordioso. Eso explica por qué incluso en el Antiguo Testamento el valor de la indisolubilidad llegó a empañarse, hasta el punto de permitir el divorcio. Jesús explicó esta permisividad de la ley mosaica por «la dureza del corazón humano», y no dudó en retomar con todo su vigor el designio original de Dios, señalado en el libro del Génesis: «*Deja el hombre a su padre y a su madre y se una a su mujer, y los dos se hacen uno solo*» (*Gn* 2, 24), y añade: «*Ya no son dos, sino uno solo*» (*Mt* 19, 6).

Alguno podría objetar que semejante planteamiento sólo es válido y comprensible en una postura de fe. ¡No es así! Cierto que para los discípulos de Cristo la indisolubilidad es fortalecida más tarde por el carácter sacramental del matrimonio, signo de la alianza esponsal entre Cristo y su Iglesia. Pero este «*gran misterio*» (cfr. *Ef* 5, 32) no excluye, sino que más bien presupone la instancia ética de la indisolubilidad también en el plano de la ley natural. Es la dureza del corazón denunciada por Jesús lo que sigue haciendo difícil la percepción universal de esta verdad, o a plantear casos en los que parece casi imposible vivirla. Pero cuando se piensa serenamente y con vistas a un ideal, no es difícil aceptar que la perennidad del vínculo matrimonial brota de la esencia misma del amor y de la familia. Se ama de verdad y hasta el fondo solamente cuando se ama para siempre, en la alegría y en el dolor, en la prosperidad y en la adversidad. ¿Acaso los hijos no tienen una necesidad absoluta de la unión indisoluble de sus propios padres, y no son ellos muchas veces las primeras víctimas del drama del divorcio? [18]

Frente a las dificultades que pueden surgir en la vida conyugal, no os dejéis desorientar por el fácil recurso del divorcio, que solamente ofrece soluciones aparentes, porque en realidad se limita a transferir los problemas, agravándolos, hacia los demás ámbitos de la vida. Los cristianos saben que el matrimonio, indisoluble por naturaleza, ha sido santificado por Cristo, que lo hizo participar del amor fiel e indisoluble que Él tiene a su Iglesia (cfr. *Ef* 5, 32). De forma especial, con la participación en el sacramento de la reconciliación, y en la comunión del cuerpo de Cristo, las familias cristianas hallarán la fuerza y la gracia necesarias para superar los obstáculos que atentan contra su unidad, sin olvidar además que el verdadero amor se purifica en el sufrimiento [19].

Situaciones familiares dramáticas y maternidad de la Iglesia

Existen hoy muchos otros casos de personas solas, ante las cuales la Iglesia no puede dejar de ser sensible y solícita. Están, ante todo, la categoría de los «separados» y los «divorciados», a los cuales he dedicado especial atención en la Exhortación apostólica *Familiaris consortio* (cfr. n. 83). Están también las «madres solteras», expuestas a especiales dificultades de orden moral, económico y social. A todas estas personas quiero decirles que cualquiera que sea su responsabilidad personal en el drama en que se encuentran sumidas, siguen perteneciendo a la Iglesia. Los pastores, partícipes de su prueba, no las dejan abandonadas a sí mismas; al contrario, quieren hacer lo posible por ayudarles, confortarlas y hacer que se sientan todavía unidas a la grey de Cristo.

Incluso cuando no puede permitir prácticas que estarían en contradicción con las exigencias de la verdad y con el mismo bien común de las familias y de la sociedad, la Iglesia no renuncia nunca a amar, a comprender y a estar cerca de todos aquéllos que están pasando por esas dificultades. La Iglesia se siente especialmente cercana a las personas que tiene un matrimonio deshecho a sus espaldas, perseveran en la fidelidad, renunciando a otra unión, y se dedican en la medida de sus posibilidades a la educación de sus hijos. Éstos merecen el ánimo y el apoyo de todos. La Iglesia, el Papa, no pueden dejar de alabar su hermoso testimonio de coherencia cristiana, vivida generosamente en la prueba [20].

El relativismo moral

La sociedad moderna es tentada por el relativismo que vuelve escépticos a muchos. De forma particular, los cambios culturales y el progreso científico parecen convulsionar los criterios de discernimiento en materia de vida moral. Los valores y las referencias morales objetivas se reconocen con dificultad. El individualismo y el subjetivismo son ahora las características dominantes en la reflexión y en las decisiones éticas. Se diría incluso que ciertos comportamientos se consideran normales y moralmente aceptables quizás porque corresponden a un amplio número de personas. Reina la confusión cuando se deja creer que todo lo que es legal es de por sí moral, concretamente en aquellos lugares donde la ley civil contradice las exigencias de la moral. Entre muchos de nuestros contemporáneos que todavía están abiertos a la esperanza de la salvación cristiana y al sentido del pecado, han aparecido nuevas formas de angustia. Esto puede llevar a un pesimismo existencial.

El mundo de la sanidad y de la investigación están al servicio de la vida para permitir al hombre vivir todas las fases de su existencia con la dignidad y la humanidad que le corresponden. La sociedad y las autoridades civiles tienen el deber de proteger a las personas, en especial a las más débiles, ante los eventuales excesos de las ciencias y de las técnicas.

Ante ciertas tomas de posición científicas o terapéuticas surgen muchas preguntas. Sin embargo, esas decisiones no pueden tomarse sin tener en cuenta la naturaleza infinitamente respetable de cada ser humano, criatura amada de Dios, que tiene un derecho inalienable a la vida y que debe ser protegido desde su concepción hasta su muerte natural. Rechazar la vida de los más débiles y de los discapacitados es una auténtica injuria a todos aquéllos que, por diversas razones, viven en esa situación. Esto constituye una inconfesable eugenesia. Además, cualquiera que sea el pronóstico, nunca se puede justificar una decisión terapéutica radical en función de una arbitraria y subjetiva definición de la calidad de la vida y de los criterios exclusivamente médicos o científicos [21].

La familia

La familia y la Iglesia doméstica. El significado de esta tradicional idea cristiana es que la casa es la Iglesia en miniatura.

La Iglesia es el sacramento del amor de Dios. Es una comunión de fe y de vida. Es madre y maestra. Está al servicio de toda la familia humana en su caminar hacia su destino final.

Al mismo tiempo, la familia es una comunidad de vida y de amor. Educa y ayuda a sus miembros con vistas a su plena madurez humana y se pone al servicio del bien de todos a lo largo del camino de la vida. La familia es la «primera y vital célula de la sociedad» (*Apostolicam Actuositatem*, 11). El futuro del mundo y de la Iglesia pasa, pues, por la familia.

El auténtico amor es siempre un amor responsable. Los maridos y sus esposas se aman realmente uno al otro cuando son responsables ante Dios y realizan su designio con respecto al amor humano y a la vida humana, cuando responden y se responsabilizan el uno del otro. Una paternidad responsable implica no solamente traer hijos al mundo, sino también tomar parte personal y responsablemente en su crecimiento y en su educación. El verdadero amor de familia es para siempre [22].

El lazo que une a una familia no es sólo un problema de afinidad natural o de compartir vida y experiencias. Es principalmente un lazo santo y religioso. El matrimonio y la familia son realidades sagradas.

La sacralidad del matrimonio cristiano consiste en el hecho de que en el designio de Dios el pacto matrimonial entre hombre y mujer se hace imagen y símbolo de la Alianza que une a Dios con su pueblo (cfr. *Os* 2, 21; *Jer* 3, 6-13; Is 54, 5-10). Es el signo del amor de Cristo a su Iglesia (cfr. *Ef* 5, 32). Puesto que el amor de Dios es firme e irrevocable, los que se han desposado «en Cristo» están llamados a permanecer fieles uno al otro para siempre. ¿No fue Jesús mismo quien nos dijo *«lo que Dios ha unido que no lo separe el hombre»* (*Mt* 19, 6)?

La sociedad contemporánea tiene especial necesidad del testimonio de parejas que perseveren en su unión, como «signo» elocuente, aunque a veces se dé con sufrimiento, de la constancia del amor de Dios en nuestra condición humana. Día tras día, las parejas de esposos cristianos son llamadas a abrir su corazón cada vez más al Espíritu Santo, cuyo poder no fallará jamás, y que los hará capaces de amarse el uno al otro como Cristo nos amó.

De este amor han nacido las familias cristianas. En ellas los hijos son acogidos como un espléndido regalo de la benevolencia de Dios, y son educados en los valores fundamentales de la vida humana, aprendiendo sobre todo que «el hombre vale más por lo que es que por lo que tiene» (*Gaudium et spes,* 35). Toda la familia trata de practicar el respeto a la dignidad de cada individuo y de ofrecer un servicio desinteresado a aquéllos que más lo necesitan. (cfr. *Familiaris Consortio,* 37).

Las familias cristianas existen para formar una comunión de personas en el amor. Por eso la Iglesia y la familia son, cada una a su modo, ejemplos vivos en la historia humana de la eterna comunión en el amor de las tres personas de la Santísima Trinidad. De hecho, a la familia se le llama Iglesia en miniatura, «Iglesia doméstica», una expresión concreta de la Iglesia a través de la experiencia humana del amor y de la vida en común. (cfr. *Familiaris Consortio,* 49). Al igual que la Iglesia, la familia debería ser un lugar donde el Evangelio es transmitido y desde donde el Evangelio se irradia a otras familias y a toda la sociedad [23].

La responsabilidad procreativa en los padres

El Catecismo de la Iglesia Católica revela que el amor de los esposos «tiende por su misma naturaleza a ser fecundo. El hijo no viene a añadirse desde fuera al mutuo amor de los esposos; brota del corazón mismo de su donación recíproca, siendo su fruto y su cumplimiento (CCC, n. 236).

Es de fundamental importancia comprender la grandeza misteriosa de este acontecimiento. Como he escrito en la *Carta a las familias,* «en la paternidad y la maternidad humanas, Dios mismo está presente [...] De hecho, sólo de Dios puede proceder aquella imagen y semejanza que es propia del ser humano, tal como ocurrió en la creación. La procreación es la continuación de la creación» (n. 9).

Es verdad que este planteamiento tiene particular resonancia para los creyentes. Pero su valor puede ser reconocido también por la simple razón de que, en el milagro de la vida humana que nace, es impulsada a reconocer algo que va mucho más allá de un puro hecho biológico.

En la generación de la vida humana, la biología postula su misma superación. Y esto no puede dejar de tener implicaciones en el plano de la ética; no se puede tratar lo que se refiere a la generación humana como si se tratase de un puro hecho biológico, susceptible de manipulación.

La doctrina eclesial de la «paternidad y maternidad responsables» se apoya precisamente sobre esta base antropológica y ética. Muchas veces en este punto el pensamiento se ha equivocado, como si la Iglesia sostuviese una ideología de la fecundidad a ultranza, animando a los cónyuges a procrear sin discernimiento y sin proyecto alguno. Basta una atenta lectura de las definiciones del Magisterio de la Iglesia para comprobar que no es así. En realidad, al engendrar la vida, los esposos están viviendo unas dimensiones más elevadas de su vocación: están colaborando con Dios. Precisamente por eso se mantienen en una postura profundamente responsable. Al tomar la decisión de procrear o no, ellos no han de dejarse inspirar por el egoísmo, ni por la ligereza, sino por una generosidad prudente, y sobre todo que sabe poner como idea central el bien mismo del que va a nacer. Cuando se tienen motivos para no procrear, esa decisión es lícita, y podría incluso ser obligatoria. Pero queda además el deber de realizarla según criterios y métodos que respeten la verdad total del encuentro conyugal en su dimensión unitiva y procreativa, tal como es sabiamente regulada por la misma naturaleza en sus ritmos biológicos. Éstos deben ser seguidos y valorados, pero no «violentados» con intervenciones artificiales [24].

Desgraciadamente, en el delicado campo de la procreación de la vida humana no faltan síntomas preocupantes de una cultura inspirada en cualquier cosa menos en el amor. Eso se hace evidente cuando se excluye e incluso se suprime la vida que está por nacer. Pero paradójicamente esto se aplica incluso en el caso en que se desea a toda costa, empleando para ello para tal fin medios moralmente desordenados. A ritmo creciente se están difundiendo las tecnologías para la generación humana —como la fecundación artificial o el alquiler de madres y cosas semejantes— que plantean serios problemas de orden ético. Entre otras implicaciones graves, baste recordar que con semejantes procedimientos el ser humano queda defraudado en su derecho a nacer de un acto de amor verdadero y según las normas propias de los procesos biológicos, quedando marcado desde el principio por problemas de orden psicológico, jurídico y social que lo acompañarán toda su vida.

En realidad, el legítimo deseo de un hijo no puede ser interpretado como una especie de derecho al hijo, que se puede satisfacer a toda costa. ¡Eso significaría tratarlo como si fuera una cosa! Y por lo que se refiere a la ciencia, ésta tiene la obligación de mantener los procesos procreadores naturales, y no la función de sustituirlos artificialmente. Tanto más cuando el deseo de tener hijos puede ser satisfecho también a través del sistema jurídico de la adopción, que merece estar cada vez mejor organizado y promovido, y otras formas de servicio y de dedicación social, como expresión de acogida hacia tantos niños privados del calor de una familia por diversas razones [25].

La vocación de la mujer a la maternidad

Quizá nunca ha sido tan necesario como hoy revalorizar la idea de la maternidad, que no es un concepto arcaico perteneciente a los mitos primordiales de la civilización. Por mucho que se puedan ampliar los papeles de la mujer, todo en ella —su fisiología, su psicología, sus costumbres connaturales, el sentimiento moral, religioso e incluso estético— revela y ensalza su actitud, su capacidad y su misión de engendrar en sí un nuevo ser. Ella, mucho más que el hombre, está protegida del imperativo procreativo. En virtud de su embarazo y del parto, está más íntimamente ligada al niño, más cercana a todo su desarrollo, es más inmediatamente responsable de su crecimiento, más intensamente partícipe de su alegría o de su dolor, de sus riesgos en la vida. Incluso si es verdad que el papel de la madre ha de coordinarse con la presencia y la responsabilidad del padre, es la mujer la que tiene la función principal al comienzo de la vida de cada ser humano. Es un papel en el que se hace patente una característica esencial de la persona humana, destinada a no quedarse encerrada en sí misma, sino a abrirse y darse a los otros [26].

Es preciso que el papel de la madre sea revalorizado socialmente

Los cometidos de la madre en la casa requieren una gran dedicación, mucho tiempo y mucho amor. Los niños tienen necesidad de cariño, de amor, de afecto. Si el niño ha de hacerse una persona segura, responsable, moral religiosa y psicológicamente madura, hay que dedicarle muchos cuidados. Si la responsabilidad del desarrollo de la familia recae tanto en el padre como en la madre, mucho más depende de la relación madre-hijo.

Una sociedad puede sentirse orgullosa si permite a las madres dedicar su tiempo a los hijos y si les facilita crecer según sus necesidades. La libertad de la mujer como madre ha de estar claramente protegida, porque la mujer se vea libre de cualquier discriminación, especialmente frente a las mujeres sin obligaciones familiares. Las madres no deben ser penalizadas económicamente por la misma sociedad a la que sirven de una forma útil y elevada [27].

A través de la maternidad, Dios ha confiado el ser humano a la mujer de forma muy especial. Por eso, la mujer merece un esfuerzo de primera clase en la tutela de la vida desde la concepción de la misma. ¿Quién conoce mejor que una madre el milagro de la vida que brota en su vientre?

Por desgracia, frecuentemente la mujer se encuentra con obstáculos objetivos que le hacen más difícil, hasta heroico a veces, cumplir su papel de madre.

Es necesario rechazar enérgicamente tantas formas de violencia y de explotación que de forma más o menos patente, comercializan a la mujer y pisotean su dignidad. No pocas veces cargas tan insoportables se derivan de la indiferencia y la inadecuada asistencia, debidas incluso a legislaciones poco sensibles al valor de la familia, así como a una difusa y distorsionada cultura que descarga indebidamente al hombre de sus responsabilidades familiares y —en los peores casos— lo lleva a considerar a la mujer como un objeto de placer o un simple instrumento reproductivo.

Contra esta cultura opresiva se impone cualquier iniciativa legítima que se oriente a promover la auténtica emancipación femenina. Pero en ese intento, la tutela de la dignidad de la mujer y la defensa de la vida van a la par [28].

Dignidad y responsabilidad de la mujer

En la perspectiva de la antropología cristiana, cada persona tiene su dignidad; y, como persona, la mujer no tiene menor dignidad que el hombre. Demasiado frecuentemente la mujer es considerada como un objeto por causa del egoísmo masculino, que se manifestó en tantos lugares en el pasado y todavía hoy se sigue manifestando. En la situación actual intervienen múltiples razones de orden cultural y social, que son consideradas con serena objetividad; no es difícil, sin embargo, descubrir en ellas el influjo de una tendencia al predominio de la prepotencia, que encontró y encuentra aún sus víctimas especialmente entre las mujeres y los niños. Por lo demás, el fenómeno ha sido todavía más general: como escribí en la *Christifideles laici*, tiene su origen en «aquella injusta y destructiva mentalidad que considera el ser humano como una cosa, como un objeto de compra-venta, como un instrumento de los intereses egoístas o del mero placer» (n. 49).

Los seglares cristianos están llamados a luchar contra todo aquello que asuma esta mentalidad, incluso cuando se traduce en espectáculos públicos, manipulados por el intento de acentuar la carrera frenética del consumo. Pero las mujeres mismas tienen la obligación de contribuir a obtener el respeto de su personalidad, no consintiendo ninguna forma de complicidad con aquello que contradiga su dignidad.

Siempre sobre la base de la misma antropología cristiana, la doctrina de la Iglesia enseña que el principio de la igualdad de la mujer con el hombre en cuanto a dignidad personal y a derechos humanos fundamentales, debe ser coherentemente mantenido con todas sus consecuencias.

La perfección para la mujer no es ser igual que el hombre, masculinizarse hasta el punto de perder sus cualidades específicas femeninas: su perfección —que es un secreto de afirmación y de relativa autonomía— es ser mujer, igual que el hombre pero diferente. Tanto en la sociedad civil como en la Iglesia, la igualdad y la diversidad de la mujer han de ser reconocidas.

Diversidad no significa una necesaria y casi implacable oposición [29].

Jesús y la mujer

Es particularmente conmovedor meditar sobre la postura que Jesús tuvo frente a la mujer. Demostró ser audaz y sorprendente en aquel tiempo suyo, cuando el paganismo consideraba que la mujer era un objeto de placer, de mercado y una carga, y el judaísmo la mantenía marginada y humillada.

Jesús demostró siempre la mayor estima y el mayor respeto hacia la mujer, hacia cualquier mujer, y fue particularmente sensible hacia el sufrimiento femenino. Traspasando las barreras religiosas y sociales de su tiempo, Jesús restableció a la mujer en su plena dignidad de persona ante Dios y ante los hombres. ¿Cómo olvidar su encuentro con Marta y María (*Lc* 10, 38-42), con la samaritana (*Jn* 4, 1-24), con la viuda de Naim (*Lc* 7, 11-17), con la adúltera (*Jn* 8, 3-9), con la mujer enferma de hemorragias (*Mt* 9, 20-22), con la pecadora en casa de Simón el fariseo (*Lc* 7, 36-50)? El corazón vibra de emoción sólo con recordarlos. ¿Y cómo olvidar, sobre todo, que Jesús quiso asociar a algunas mujeres a los doce (*Lc* 8, 2-3), que lo acompañaban y lo servían, y que lo confortaron camino de la cruz hasta el Calvario? Y después de haber resucitado, Jesús se apareció a las mujeres y a María Magdalena, encargándole que anunciase a los discípulos su Resurrección (*Mt* 28, 8).

Deseando encarnarse y entrar en nuestra historia humana, Jesús quiso tener una madre, María Santísima, y así elevó a la mujer a la más alta y admirable cumbre de su dignidad. Madre del Dios Encarnado, Inmaculada, Elevada al cielo, Reina del Cielo y de la Tierra. Por eso, vosotras, mujeres cristianas, como María Magdalena y como las otras mujeres del Evangelio, debéis anunciar, testificar, que Cristo ha resucitado realmente, ¡que Él es nuestro único y verdadero consuelo! [30]

Feminismo: exageraciones y exasperaciones

En ciertos ambientes subsiste todavía un clima de insatisfacción con respecto a la postura de la Iglesia, especialmente allí donde la distinción entre derechos humanos y civiles de una persona, y los derechos, deberes, ministerios y funciones que tienen los individuos, o de los que gozan dentro de la Iglesia no se comprende totalmente. Una eclesiología errónea puede conducir fácilmente a presentar falsas necesidades y suscitar falsas esperanzas.

Esto, que es cierto, y que es la cuestión que nos ocupa, no puede resolverse a través de un compromiso o de un feminismo que se polarice hacia posiciones ideológicas intransigentes. No se trata simplemente del hecho de que algunas personas reivindiquen para las mujeres el derecho a ser admitidas al orden sacerdotal. En su forma más extrema, es la misma fe cristiana la que corre el riesgo de ser corrompida. Quizás formas de culto de la naturaleza y la celebración de mitos y símbolos están tomando el lugar del culto de Dios revelado en Jesucristo. Desgraciadamente este tipo de feminismo se ve animado por algunas personas desde dentro de la Iglesia, incluidas algunas religiosas, cuyas innovaciones, posturas y comportamientos ya no se corresponden con lo que se enseña en el Evangelio y en la Iglesia. Como pastores, debemos oponernos a individuos y grupos que poseen estas convicciones y llamarlos a un diálogo honesto y sincero que debe continuar dentro de la Iglesia, en relación con las expectativas de las mujeres.

En cuanto a la no admisión de las mujeres al sacerdocio ministerial, ésta «es una disposición que la Iglesia ha visto siempre en la voluntad concreta, y siempre libre, de Jesucristo» (*Christifideles laici*, n. 51). La Iglesia enseña y actúa confiada en la presencia del Espíritu Santo y en la promesa del Señor de estar siempre con ella (*Mt* 28, 20). «Cuando ella considera que no puede aceptar ciertos cambios es porque sabe que está ligada al modo de hacer de Cristo. Su postura [...] es la fidelidad (*Inter Insigniores*, n. 4). La igualdad de los bautizados, que es una de las grandes afirmaciones del cristianismo, existe en un cuerpo diferenciado, en el cual hombres y mujeres tienen papeles que no son puramente funcionales pero que sí están profundamente enraizados en la antropología y en la sacramentalidad cristiana. La distinción de estos papeles no favorece en modo alguno la superioridad de unos sobre otros: el mejor de todos los dones, al que todos debéis aspirar, es la caridad (cfr. *1 Cor* 12 y 13). En el Reino de Dios los más grandes no son los ministros, sino los santos (cfr. ibid. 6) [31].

La explosión demográfica

La Iglesia conoce el problema y no infravalora su importancia. Precisamente por eso, y hace muy poco tiempo, promovió y animó el desarrollo de serios estudios sobre el tema, tomando en consideración los datos estadísticos y valorando sus implicaciones éticas y pastorales.

La Iglesia reconoce la responsabilidad de los Estados en tan delicado asunto. En el Catecismo se ha dicho expresamente que la autoridad pública puede tomar «iniciativas encaminadas a orientar la demografía de la población» (CCC, n. 2372). Tales iniciativas presuponen obviamente el sentido de responsabilidad de las familias. Como ya he tenido ocasión de recordar, los cónyuges deben tomar su decisión de procreación según un proyecto razonable, apoyado en una valoración generosa y realista al mismo tiempo de sus posibilidades, del bien que va a nacer y de aquella sociedad misma, a la luz de criterios morales objetivos (cfr «Mensaje a la Sra. Nafis Sadik», en *Osservatore Romano,* 19 de marzo de 1994, pág. 8).

En esta materia se encuentran la ética de la familia y la ética de la política. La dimensión ética pone límites concretos a las intervenciones de los Estados y de la comunidad internacional. Por ejemplo, nunca es lícito intervenir con «imposiciones autoritarias y coaccionantes» (CCC, n. 2372), orientadas a liberar a los cónyuges de su responsabilidad primaria e inalienable. Y es igualmente inaceptable que se anime al uso de medios inmorales, especialmente abortivos, para la regulación de la natalidad. Aquí está uno de los puntos de contraste radical entre la Iglesia y ciertas directrices emergentes. En realidad, ¿cómo no sentirnos afectados ante el hecho de que se esté dispuesto a gastar ingentes cantidades de dinero para difundir medios contraceptivos éticamente inadmisibles, al mismo tiempo que se niegan a desarrollar el gran potencial de la «planificación familiar natural»? Ésta, además de ser menos costosa, «ayuda a las parejas a mantener su dignidad humana en el ejercicio del amor responsable» (cfr. «Llamada a los Cardenales en defensa de la familia», en *Osservatore Romano,* 15 de junio de 1994, pág. 1).

Es evidente que para una correcta solución de la política demográfica es preciso intensificar el esfuerzo tanto para promover el crecimiento de los recursos naturales y económicos, como para una más justa distribución de los mismos, al mismo tiempo que hacia una correcta cooperación internacional a favor del desarrollo de los países menos favorecidos [32].

La protección de la vida desde el primer instante

El Concilio nos ha animado a calificar el aborto como «un crimen abominable» (cfr. *Gaudium et spes*, 51). Como base de tan severo juicio no hay otra cosa que la palabra de la revelación, pero también está la razón del hombre. La misma ciencia lleva hoy sus confirmaciones con respecto al carácter humano del embrión, asegurándonos que, desde el momento de la concepción, es un ser original y biológicamente autónomo, dotado de un proyecto interno que se va actualizando sin solución de continuidad hasta su maduro desarrollo. Precisamente por eso para un embrión humano rige el mismo mandamiento de Dios: «no matar».

El Estado tiene el deber de garantizar y favorecer por todos los medios posibles el respeto a la vida de cada hombre. No se puede invocar la libertad de conciencia y de decisión por encima de este deber, porque el respeto de la vida es fundamento de cualquier otro derecho, incluido el de la libertad. Como recuerda el Catecismo de la Iglesia Católica, «el inalienable derecho a la vida de cada individuo humano inocente representa un elemento constitutivo de la sociedad civil y de su legislación» (CCC, n. 2273), de tal manera que «en el momento en que una ley positiva priva a una categoría de seres humanos de la protección que la legislación civil debe concederle, el Estado está negando la igualdad de todos ante la ley. Cuando el Estado no pone su poder al servicio de los derechos de cada ciudadano, y en particular de los más débiles, quedan minados los fundamentos mismos de un Estado de derecho» (Congregación para la Doctrina de la Fe. Instrucción *Donum vitae*, c. III) [33].

Todos los seres humanos deberían apreciar la individualidad de cada persona como criatura de Dios, llamada a ser hermano o hermana de Cristo en razón de la encarnación y redención universal. Para nosotros la sacralidad de la persona humana se basa en estas premisas. Y sobre estas premisas se basa nuestra celebración de la vida, de toda vida humana. Esto explica nuestros esfuerzos por defender la vida humana contra cualquier influencia o acción que pueda amenazarla o debilitarla, como nuestros esfuerzos para hacer que toda vida sea más humana en todos sus aspectos.

Por eso reaccionaremos cada vez que la vida humana sea amenazada. Cuando el carácter sagrado de la vida antes del nacimiento recibe un ataque, nosotros reaccionamos para proclamar que nadie tiene derecho a destruir la vida antes del nacimiento. Cuando se habla de un niño como una carga, cuando se le considera como un medio para satisfacer necesidades emotivas, intervendremos para insistir recordando que cada niño es un don único e irrepetible de Dios, que tiene derecho a una familia unida en el amor. Cuando la institución del matrimonio se abandona al egoísmo humano y se reduce a un acuerdo temporal condicionado a que se pueda romper fácilmente, nosotros reaccionamos afirmando la indisolubilidad del vínculo matrimonial. Cuando el valor de la familia es amenazado por presiones sociales y económicas, nosotros reaccionamos reafirmando que la familia es necesaria no sólo para el bien personal de cada una de las personas, sino también para el bien común de cada sociedad, nación y Estado [34]. Cuando la libertad se utiliza para dominar a los débiles, para desperdiciar las riquezas naturales y la energía, y para negar a los hombres las necesidades esenciales, nosotros reaccionamos para reafirmar los principios de la justicia y del amor social. Cuando los enfermos, los ancianos o los moribundos son abandonados, nosotros reaccionamos proclamando que ellos son dignos de amor, de atención y de respeto.

La educación de los hijos

¡Educad a los hijos en los grandes valores de la fe cristiana; en la fe en Dios Padre, en Cristo, su Hijo, en el Espíritu Santo! La primera escuela de catequesis es y debe ser la familia. Del padre, de la madre, de los hermanos y hermanas mayores deben recibir los niños, junto con los ejemplos de vida cristiana, el tesoro de las grandes verdades de la revelación divina, que luego profundizarán con la catequesis sistemática en las parroquias, en los institutos y en los movimientos cristianos.

Pero sobre todo vosotros, padres, debéis educar a vuestros hijos en la oración, introducirlos en el descubrimiento progresivo del misterio de Dios y en el diálogo personal con Él. Esta oración hecha en familia, que es la iglesia doméstica, constituye para vuestros hijos la introducción natural en la oración litúrgica de toda la Iglesia. Por eso es necesaria una participación progresiva de todos los miembros de la familia cristiana en la Eucaristía, sobre todo los domingos y días festivos, y en los sacramentos, principalmente los de la iniciación cristiana [35].

Los niños tienen necesidad de padres que puedan darles un ambiente familiar estable. Que sepan de qué clase de amor auténtico están necesitando para sentirse unidos en vuestro amor hacia los demás y para sí mismos. Ellos buscan en vosotros amistad y guía. Ellos han de aprender de vosotros, sobre todo, a distinguir el bien y el mal. Recurro a vosotros para esto: no privéis a vuestros hijos de su patrimonio verdaderamente humano y espiritual. Habladles de Dios, de Jesús, de su amor y de su Evangelio. Enseñadles a amar a Dios y a respetar sus mandamientos con la seguridad de que ellos son, por encima de todo, hijos suyos. Enseñadles a rezar. Enseñadles a convertirse en seres humanos maduros y responsables, ciudadanos honestos para su país [36].

Con la gracia del matrimonio cristiano, los cónyuges pueden edificar con seguridad y esperanza la casa de su vida común, pueden introducir allí a sus hijos, para que éstos aprendan de sus padres qué quiere decir ser hombres y mujeres, y aprendan a vivir plenamente su dignidad humana y cristiana.

La familia está por su misma naturaleza destinada a ser el primer ambiente educativo del niño. Los deberes de la educación son prioritarios y preeminentes. Para educarlos están ante todo sus padres y, a través de ellos, es Cristo mismo quien los educa. Educando a los hijos, en realidad se educan a sí mismos. Aprenden lo que es el amor responsable. Cultivando el terreno de los jóvenes corazones de sus hijos, profundizan al mismo tiempo en la formación de sus propios corazones. Por eso hoy la Iglesia invoca al Espíritu Santo con las palabras «*Veni Creator Spiritus*», para que Él, artífice de todo bien y fuente de toda santidad, visite vuestros corazones y os ayude a formar la Iglesia doméstica, fruto del sacramento del matrimonio [37].

Notas

1. San Francisco, EE.UU., 17 de septiembre de 1987.
2. Carta apostólica a los jóvenes del mundo con ocasión del Año Internacional de la Juventud, 31 de marzo de 1985.
3. Discurso a los jóvenes. Foggia, 24 de mayo de 1987.
4. Discurso a las familias. Foggia, 24 de mayo de 1987.
5. París. Discurso a los jóvenes, 1 de junio de 1980.
6. París. Discurso a los jóvenes, 1 de junio de 1980.
7. Bello Horizonte, Brasil. Discurso a los jóvenes, 1 de julio de 1980.
8. Audiencia general, 2 de abril de 1980.
9. *Angelus,* 26 de junio de 1994.
10. Audiencia general, 28 de enero de 1981.
11. Audiencia general, 3 de diciembre de 1980.
12. Audiencia general, 10 de diciembre de 1980.
13. Audiencia general, 5 de mayo de 1982.
14. Colonia. Homilía, 15 de noviembre de 1980.
15. Colonia. Homilía, 15 de noviembre de 1980.
16. Homilía de la Misa en Perth, Australia, 30 de noviembre de 1986.
17. Carta Apostólica a los jóvenes del mundo.
18. *Angelus,* 10 de julio de 1994.
19. Homilía de la Misa en la explanada «Tres Cruces» en Montevideo, 1 de abril de 1987.
20. Audiencia general, 1 de agosto de 1994.
21. A los obispos de la Región Centro-Este de Francia, en visita *ad Limina Apostolorum,* 28 de marzo de 1992.
22. Homilía de la Misa en Perth, Australia, 30 de noviembre de 1986.
23. Columbia, EE.UU, 11 de septiembre de 1987.
24. *Angelus,* 17 de julio de 1994.
25. *Angelus,* 31 de julio de 1994.
26. Audiencia general, 20 de julio de 1994.
27. Discurso en el Wilson Training Centre en Hobart-Trasmania. Australia, 27 de noviembre de 1986.
28. *Angelus,* 14 de agosto de 1994.
29. Encuentro con los fieles en la Plaza de San Pedro, 22 de junio de 1994.

30. A las colaboradoras familiares. COLF, 29 de abril de 1979.
31. A los obispos estadounidenses de la provincia eclesiástica de Baltimore, Washington, Atlanta y Miami, 2 de junio de 1993.
32. *Angelus*, 24 de junio de 1994.
33. *Angelus*, 7 de agosto de 1994.
34. Audiencia general del 3 de enero de 1979.
35. *Foggia*, 25 de mayo de 1987.
36. Homilía de la Misa en Perth, Australia, 30 de noviembre de 1986.
37. Homilía en la celebración del sacramento del matrimonio en la Basílica Vaticana, 12 de junio de 1994.

V. HISTORIA

«Es importante explicar que la historia de los hombres, con sus huellas de gracia y de pecado, de grandeza y de miseria, es asumida por Dios en su Hijo Jesucristo y que ofrece ya un esbozo del mundo futuro».

El sentido de la historia

¿Qué sentido tiene la vida? Y por lo tanto, ¿qué sentido tiene la historia humana?

Ésta es, sin duda, la pregunta más dramática y la más noble que confiere importancia al hombre en su naturaleza como persona inteligente y con voluntad. El hombre no puede encerrarse en los límites del tiempo, en el cerco de la materia, en el núcleo de una existencia inmanente y autosuficiente; puede intentarlo, puede incluso afirmar con palabras y con gestos que su patria es solamente el tiempo y que su morada es solamente el cuerpo. En realidad, la pregunta suprema le inquieta, le impulsa y atormenta. Es una pregunta que no se puede eliminar.

Sabemos cómo desgraciadamente gran parte del pensamiento moderno, ateo, agnóstico, secularizado, insiste en afirmar y en enseñar que la interrogación suprema sería una enfermedad del hombre, un montaje de tipo psicológico y sentimental, de la que debemos curarnos, enfrentándonos valientemente al absurdo, a la muerte, a la nada.

Es ésta una filosofía sutilmente peligrosa, porque sobre todo el joven, todavía frágil en su pensamiento, inquieto por las dolorosas experiencias de la historia pasada y presente, por la inestabilidad y la incertidumbre del futuro, traicionado a veces en los afectos más íntimos, marginado, incomprendido, sin trabajo, puede sentirse empujado por todo ello a la evasión en la droga y en la violencia, o arrastrado a la desesperación.

Únicamente Jesucristo es la respuesta adecuada y última a la pregunta suprema acerca del sentido de la vida y de la historia [1].

Es importante explicar que la historia de los hombres, con el sello de la gracia y del pecado, de la grandeza y la miseria, es asumida por Dios en su Hijo Jesucristo y «ofrece ya un cierto esbozo del siglo futuro». Es importante, finalmente, revelar sin duda alguna toda clase de exigencias materiales de renuncia, pero también de alegría de lo que el apóstol Pablo gustaba llamar «la vida nueva», «la nueva creación», el «ser en Cristo», la «vida eterna en Cristo Jesús», que no es otra cosa que la vida en el mundo pero una vida según las bienaventuranzas, una vida llamada a proyectarse y a transfigurarse en la del más allá. De aquí la importancia de presentar en la catequesis las exigencias morales personales que corresponden al Evangelio, de las posturas cristianas frente al mundo, sean éstas heroicas o sencillas. Nosotros les llamamos virtudes evangélicas. De ahí la preocupación que la catequesis ha de tener de no omitir, sino de esclarecer de forma conveniente —en su esfuerzo de educación en la fe— ciertas realidades, como la acción del hombre por su liberación integral, la búsqueda de una sociedad más solidaria y fraterna, las luchas por la justicia y por la construcción de la paz [2].

Dios se encarnó para iluminar, para ser Él mismo el significado del hombre. Esto hemos de creerlo con profunda y gozosa convicción. Esto hemos de vivirlo con constancia y coherencia. Esto debemos anunciarlo y dar testimonio de ello, a pesar de las tribulaciones de estos tiempos y las adversas ideologías, casi siempre tan sugerentes e inquietantes.

¿Y cómo es Jesús el significado de la existencia del hombre? Él mismo lo explica con claridad consoladora: «*Es mi Padre quien os da el verdadero pan del cielo. El pan de Dios viene del cielo y da la vida al mundo [...] Yo soy el pan de vida. El que viene a mí no volverá a tener hambre; el que cree en mí nunca tendrá sed*» (*Jn* 6, 32-35). Jesús habla simbólicamente, refiriéndose al gran milagro del maná dado por Dios al pueblo hebreo en la travesía del desierto. Está claro que Jesús no elimina la normal preocupación y la búsqueda del alimento cotidiano y de todo cuanto puede hacer la vida humana más elevada, más satisfactoria. Pero la vida fatalmente pasa. Jesús nos recuerda que el verdadero significado de nuestro existir terreno está en la eternidad, y que toda la historia humana con sus dramas y sus alegrías debe mirarse desde la perspectiva de la eternidad.

También nosotros, como el pueblo de Israel, vivimos sobre la tierra la experiencia del Éxodo; la «tierra prometida» es el cielo. Dios, que no abandonó a su pueblo en el desierto, no abandona tampoco al hombre en su peregrinar terreno. Le ha dado un «pan» capaz de sostenerlo a lo largo del camino; el «pan» es Cristo. Él es, ante todo, el alimento del alma con la verdad revelada, y también lo es con su misma persona presente en el sacramento de la Eucaristía.

¡El hombre necesita de la trascendencia! El hombre necesita de la presencia de Dios en su historia diaria. Sólo así puede encontrar sentido a la vida. Pues bien, Jesús sigue diciendo a todos: «*Yo soy el camino, la verdad y la vida*» (*Jn* 14, 6). «*Yo soy la luz del mundo. El que me sigue no caminará a oscuras, sino que tendrá la luz de la vida*» (*Jn* 8, 12). «*Venid a mí, los que estáis fatigados y agobiados, y yo os aliviaré*» (*Mt* 11, 28) [3].

Historia actual y responsabilidad del cristiano

¿Cuál es la característica general de este tiempo en que la providencia nos ha llamado a vivir? Parece que hemos de responder que es una gran crisis espiritual: crisis de la inteligencia, de la fe religiosa y, como consecuencia, crisis de la vida moral.

Estamos llamados a vivir en esta época nuestra y a amarla para salvarla. ¿Cuáles son, pues, las exigencias que nos depara?

Muchos naufragios en la fe y en la vida consagrada, pasados y presentes, y muchas de las situaciones actuales de angustia y de perplejidad, tienen su origen en una crisis de tipo filosófico. Es necesario cuidar con extrema seriedad la propia formación cultural. El Concilio Vaticano II insistió en la necesidad de mantener siempre a santo Tomás de Aquino como maestro y doctor, porque solamente a la luz de la «filosofía perenne» se puede construir un edificio tan lógico y exigente como es la doctrina cristiana. León XIII, de venerada memoria, en su célebre y siempre actual encíclica *Aeterni Patris,* planteó de nuevo e ilustró la validez del fundamento racional de la fe cristiana.

Hoy, por tanto, nuestra primera preocupación ha de ser la de la verdad, tanto por nuestra necesidad interna como por nuestro ministerio. No podemos sembrar el error o dejar en las sombras de la duda. La fe cristiana de tipo hereditario y sociológico se hace cada vez más personal, interior, exigente, y esto es un bien, evidentemente. Pero nosotros debemos tener para poder dar. Recordemos lo que escribía san Pablo a su discípulo Timoteo: «*Conserva la tradición recibida, evita las vanas palabrerías de los impíos y las con-*

tradicciones de la falsa ciencia, que algunos profesan desviándose de la fe» (*1 Tim* 6, 20).

Es una exhortación especialmente válida para nuestra época, tan deseosa de certeza y de claridad y tan íntimamente asediada y atormentada.

Madurez y equilibrio

La confusión ideológica da origen a personalidades psicológicamente inmaduras y precarias. La misma pedagogía resulta incierta y a veces desviada. Precisamente por estos motivos el mundo moderno está en una búsqueda afanosa de modelos, y la mayoría de las veces resulta defraudado, desconfiado y humillado. Por eso, nosotros hemos de ser personas maduras, que saben controlar su propia sensibilidad, que asumen sus propias funciones de responsabilidad y de guía, tratando de realizarse en el lugar y en el trabajo en que se encuentran.

Nuestro tiempo exige serenidad y valor para aceptar la realidad tal como es, sin críticas depresivas y sin utopías, para amarla y salvarla.

Empeñaos todos, pues, en alcanzar estos ideales de «madurez», mediante el amor al propio deber, la meditación, la lectura espiritual, el examen de conciencia, el uso metódico del sacramento de la Penitencia, la dirección espiritual. La Iglesia y la sociedad moderna necesitan personas maduras; así hemos de ser, con la ayuda de Dios [4].

La tragedia de la historia

Me habéis preguntado cuál es el problema de la humanidad que más me preocupa. Pues es precisamente éste: pensar en los hombres que todavía no conocen a Cristo, que todavía no han descubierto la gran verdad del amor de Dios. Ver una humanidad que se aleja cada vez más del Señor, que quiere crecer prescindiendo de Dios, al margen de su existencia, o negándola incluso. Una humanidad sin Padre, y por lo tanto, sin amor, huérfana y desorientada, capaz de seguir matando a los hombre a los que no considera hermanos suyos, preparando así su autodestrucción y su anonadamiento. Por eso, queridos jóvenes, quiero comprometeros hoy de nuevo a que seáis los apóstoles de una nueva evangelización para construir la cultura del amor [5].

Sobre el horizonte de la vida contemporánea, especialmente en la más desarrollada en sentido científico-técnico, se han hecho particularmente presentes y frecuentes las señales y las huellas de la muerte. Basta pensar en la carrera de armamentos y en el peligro de autodestrucción nuclear que ésta significa. Por otra parte, para todos es cada vez más patente la grave situación de vastas regiones de nuestro planeta, marcadas por la pobreza y el hambre, portadoras de la muerte. Se trata de problemas que no son sólo económicos, sino ante todo éticos. Sobre el horizonte de nuestra época se intensifican «signos de muerte» mucho más tenebrosos: se ha difundido la costumbre —que en algunos lugares amenaza con convertirse casi en una institución— de quitar la vida a los seres humanos antes de nacer, o incluso antes de que hayan llegado al umbral de la muerte. Y sin embargo, a pesar de tantos y nobles esfuerzos en favor de la paz, han estallado y siguen adelante nuevas guerras que privan de la vida a cientos de miles de hombres. ¿Y cómo olvidar los atentados contra la vida humana originados por el terrorismo, organizado incluso a escala internacional? [6]

¿Por qué hemos llegado a todo esto? ¿Por qué hemos alcanzado semejante situación de amenaza contra la humanidad en toda la tierra? ¿Cuáles son las causas de la injusticia que hiere nuestra mirada? Tantos millones de prófugos en las distintas fronteras. Tantos casos en los que se pisotean los derechos elementales del hombre. Tantas cárceles y campos de concentración, tanta violencia sistemática y muerte de personas inocentes. Tantos malos tratos hacia el hombre y tantas torturas. Tantos sufrimientos ocasionados a los cuerpos y a las conciencias... Y en medio de todo esto, nos encontramos además con hombres jóvenes, que tienen sobre sus conciencias tantas víctimas inocentes, a los que se les ha inculcado la convicción de que por este camino —del terrorismo programado— pueden mejorar el mundo.

¿Por qué un progreso tan grande de la humanidad en el campo de la ciencia y de la técnica —que no podemos comparar con ninguna otra época de la historia pasada—, por qué el progreso en el dominio de la materia por parte del hombre, se vuelve en tantos aspectos contra el hombre mismo?

¿Este estado de cosas es quizás irreversible? ¿Lograremos nosotros cambiarlo?

¿Qué hemos de hacer para que la vida —la vida floreciente de la humanidad— no se transforme en un cementerio de muerte nuclear? ¿Qué hemos de hacer para que no reine sobre nosotros el pecado de la injusticia universal, el pecado del desprecio del hombre y de la humillación de su dignidad, a pesar de tantas declaraciones que confirman constantemente sus derechos? ¿Qué podemos hacer? [7]

Compromiso por la «cultura del amor»

Vivimos tiempos de cambios profundos y rápidos. Se nos pregunta muchas veces, mirando con temor los acontecimientos: «¿A dónde iremos?, ¿con quién iremos?» En muchos de vuestros contemporáneos anida el miedo de lo desconocido y del futuro. Se siente la tentación de ceder, de acomodarse en un cascarón, en una situación que nos mantiene incapaces de alcanzar la plena medida de ser hombre y mujer, según el plan divino. Significa reaccionar a la tentación de cerrarse en la lógica del propio discurso personal, que conduce cada vez más lejos de la verdadera identidad, hasta hacer irreconocible la persona, que olvida totalmente su «nombre». ¿Qué nombre es éste? El nombre que todos llevamos, cada uno de nosotros: hijo de Dios. Este nombre está profundamente grabado en nuestros corazones; está grabado por Jesús a través de todo su Evangelio, su estar con nosotros a través de sus obras y de sus palabras, y sobre todo a través de su cruz y su Resurrección. Ése es nuestro nombre: hijos de Dios, hijos e hijas de Dios.

Levantarse quiere decir ponerse en marcha, en un camino de búsqueda y de liberación, de lucha contra el propio egoísmo y de apertura a los hermanos. Todos pueden cubrir este itinerario de conversión y de renovación. Y eso se realiza sobre todo en el fondo de la conciencia de cada uno. Como nos cuenta san Lucas en su magnífica parábola del padre misericordioso, el hijo pródigo *«recapacitó y se dijo [...] me pondré en camino...»* (*Lc* 15, 17-18). Todo creyente está llamado a recorrer este camino, a levantarse en su interior, levantarse del pecado, levantarse del egoísmo, levantarse de los errores y dirigirse sin temor alguno a Dios y hacia su prójimo.

Es Él quien os dice: «¡Levantaos!, ¡Levantaos!», quien os pide que renunciéis a los ídolos de este mundo y lo elijáis a Él, el Amor que da sentido total a nuestra existencia, y quien os invita a vivir la juventud como una primavera alegre, como esta primavera siciliana de hoy. A vivir esta primavera en la gozosa experiencia de la entrega: don suyo, don de Cristo, don ofrecido a cada uno de nosotros, y también don de nosotros mismos a Él, don de nosotros mismos a los otros, a través de los otros, también a Él. He ahí la perspectiva de la edificación de otra cultura, de una nueva cultura: la cultura del amor. Estamos aquí para hacer realidad, inicial pero objetiva, este gran proyecto de la cultura del amor. Ésta es la cultura de Jesús, ésta es la cultura de la Iglesia, ésta es la cultura cristiana verdadera, ésta es vuestra cultura. Vosotros aspiráis a esta cultura, y no a otra: la cultura del amor...

El Señor es sincero con vosotros; os dice claramente: *«El que no está conmigo, está contra mí»* (*Mt* 12, 30). Os llama a una opción clara, sin componendas: o Él u otros maestros, otros pastores, que se presentan bajo la apariencia de verdad, pero que después resultan peligrosos y falsos. Son los que atraen a caminos del crimen, de la droga, de los trabajos ilegales y degradantes, de las diversiones vacías y superficiales...

Reaccionad con firmeza frente a cualquier falso sembrador de egoísmo y de violencia. Y si acaso alguno de vosotros se encuentra enredado en los caminos del mal y se siente perdido, reflexione en su interior y encuentre el valor de volver atrás, hacia la casa del Padre, como el hijo pródigo del Evangelio: *«Me pondré en camino, me pondré en camino»*[8].

Sentido del sufrimiento y de la enfermedad

Los que se acercan al sufrimiento con una visión meramente humana no pueden comprender su significado y pueden caer fácilmente en el desánimo; todo lo más podrán llegar a aceptarlo con una triste resignación ante lo inevitable. Nosotros, los cristianos, por el contrario, iluminados por la fe, sabemos que el sufrimiento puede transformarse —ofreciéndolo a Dios— en un instrumento de salvación y en camino de santidad que nos ayuda a alcanzar el cielo. Para un cristiano el dolor no es motivo de tristeza, sino de alegría: la alegría de saber que en la cruz de Cristo, todo sufrimiento tiene un valor redentor.

También hoy el Señor nos invita diciéndonos «*Venid a mí todos los que estáis fatigados y agobiados, y yo os aliviaré*» (*Mt* 11, 28). Volved a Él vuestra mirada con la segura esperanza de que Él os aliviará, que en Él hallaréis consuelo. No tengáis miedo de expresarle vuestros sufrimientos y quizá tal vez vuestra soledad. Ofrecedle ese conjunto de pequeñas y a veces grandes cruces de cada día, y así, aunque a veces os puedan parecer insoportables, no os pesarán ya, porque será el mismo Cristo quien las lleve por vosotros. «*Él llevaba nuestros dolores y soportaba nuestros sufrimientos*» (*Is* 53, 4).

Siguiendo a Cristo por este camino sentiréis la alegría íntima de estar cumpliendo la voluntad de Dios. Una alegría que es compatible con el dolor: porque la alegría de los hijos de Dios, que se saben llamados a seguir muy de cerca a Jesús, en su camino hacia el Calvario [9].

El que sigue a Cristo, el que acepta la teología del dolor de san Pablo, sabe que el sufrimiento está unido a una preciosa gracia, a un favor divino, si bien se trata de una gracia que para nosotros sigue siendo un misterio, porque se esconde bajo apariencias de un destino doloroso. Ciertamente no es fácil descubrir en el sufrimiento el verdadero amor divino, que quiere, a través del sufrimiento aceptado, elevar la vida humana al nivel del amor salvífico de Cristo. La fe, sin embargo, nos hace unirnos a este misterio y pone en el alma del que sufre, a pesar de todo, paz y alegría. A veces se puede llegar a decir con san Pablo «*estoy tan lleno de consuelo que la alegría supera todas nuestras tribulaciones*» (2 *Cor* 7, 4) [10].

Desde la perspectiva de la fe es como la enfermedad asume una nobleza superior y revela una particular eficacia como ayuda al ministerio apostólico. En este sentido la Iglesia no cesa de declarar que necesita de los enfermos y de su ofrecimiento al Señor para obtener gracias más abundantes para toda la humanidad. Si a la luz del Evangelio la enfermedad puede ser un tiempo de gracia, un tiempo en el cual el amor divino penetra más profundamente en aquéllos que sufren, no hay duda de que los enfermos, con su ofrecimiento, se santifican a sí mismos y contribuyen a la santificación de los demás.

Esto es cierto de modo particular para aquéllos que se dedican al servicio de los enfermos y los incapacitados. Semejante servicio es un camino de santificación como la enfermedad misma. A lo largo de los siglos esto ha sido una manifestación de la caridad de Cristo, que es precisamente fuente de la santidad.

Es un auténtico servicio que requiere dedicación, paciencia y delicadeza, además de una gran capacidad de compasión y de comprensión, tanto más porque además de la curación en su aspecto sanitario, es necesario llevar también a los enfermos el consuelo moral, como nos sugiere Jesús: «*estuve enfermo ... y me visitasteis*» (*Mt* 25, 36) [11].

Esta vida no es un conjunto que se cierra definitivamente entre la fecha del nacimiento y la de la muerte. Está abierta a un último término en Dios. Cada uno de nosotros siente dolorosamente el fin de la vida, el límite que nos pone la muerte. Cada uno de nosotros, en uno u otro modo, es consciente del hecho de que el hombre no está totalmente encerrado entre esos límites, y que no puede morir definitivamente. Quedan demasiadas preguntas sin plantear y demasiados problemas sin resolver —si no en la dimensión de la vida personal, individual, al menos en la de la vida de los grupos humanos, las familias, las naciones, la humanidad— en el momento de la muerte de cada persona.

Cristo es el que ha aceptado toda la realidad del morir humano. Y precisamente por eso Él es el que dio un giro fundamental al modo de entender la vida. Demostró que la vida es un paso, no solamente a través del límite de la muerte, sino el paso a una vida nueva. Así, la cruz se ha convertido para nosotros en la suprema cátedra de la verdad de Dios y del hombre. Todos debemos ser alumnos —matriculados o no— de esta cátedra. Entonces comprenderemos también que la cruz es la cuna del hombre nuevo.

Los que son alumnos suyos, miran así la vida, la entienden así. Y así se lo enseñan a los demás. Este significado de la vida lo imprimen en toda la realidad temporal; en la moralidad, en la creatividad, en la cultura, en la política y en la economía [12].

El juicio después de la muerte

Una materia fundamental del juicio son las obras de caridad en la relación del hombre con su prójimo. Cristo se identifica con este prójimo. «*Cuando lo hicisteis con uno de estos mis hermanos más pequeños, conmigo lo hicisteis*» (*Mt* 25, 40-45).

Según este texto de Mateo, cada uno será juzgado sobre todo

por el amor. Pero no hay duda de que los hombres serán juzgados también por la fe: «*Si uno me niega delante de los hombres, también yo lo negaré delante de los ángeles de Dios*» (*Lc* 12, 8; *Mc* 8, 38).

Del Evangelio aprendemos esta verdad —que es una de las verdades fundamentales de la fe—: que Dios es juez de todos los hombres de forma definitiva y universal, y que este poder ha sido dado por el Padre a su Hijo en estrecha relación con su misión salvadora. Lo testifican de forma muy elocuente las palabras que pronunció Jesús en la conversación nocturna con Nicodemo: «*Dios no envió a su Hijo para condenarlo, sino para salvarlo por medio de él*» (*Jn* 3, 17).

Sin duda, Jesús se presenta sobre todo como Salvador. No considera que su misión sea juzgar a los hombres con criterios meramente humanos (cfr. *Jn* 8, 15). Él es, ante todo, el que nos enseña el camino de la salvación y no el acusador de los culpables. «*No penséis que voy a ser yo quien os acuse ante mi Padre; os acusará Moisés* [...] *Él escribió acerca de mí*» (*Jn* 5, 45-46). Por tanto, ¿en qué consiste el juicio? Jesús responde: «*El motivo de condenación está en que la luz vino al mundo, y los hombres prefirieron las tinieblas a la luz, porque hacían el mal*» (*Jn* 3, 19) [13].

Por eso hemos de decir, ante esta Luz que es Dios revelado en Cristo, ante tal Verdad, que en cierto modo, las obras juzgan a cada uno. La voluntad de salvar al hombre por parte de Dios tiene su manifestación definitiva en la palabra y en la obra de Cristo, en el Evangelio entero, hasta el misterio pascual de la cruz y de la resurrección. Ésta es, al mismo tiempo, el criterio central del juicio sobre las obras y las conciencias humanas. Sobre todo en este sentido «*el Padre ha dado al Hijo todo el poder de juzgar*», ofreciéndole a cada hombre la posibilidad de salvación (*Jn* 5, 22).

Sin embargo, el hombre está ya condenado cuando rechaza la posibilidad que se le ofrece: No creer quiere decir exactamente rechazar la salvación ofrecida al hombre en Cristo. «*Por no haber creído en el Hijo unigénito de Dios*» (*Jn* 3, 18). Y la misma verdad encubierta en la profecía del viejo Simeón, que podemos leer en el Evangelio de Lucas, cuando anunciaba de Cristo: «*Este niño va a ser motivo de que muchos caigan o se levanten en Israel*», y lo mismo se puede decir de la alusión a la «*piedra que rechazaron los constructores*» (*Lc* 2, 34; 20, 17-18) [14].

La glorificación del cuerpo, como fruto escatológico de su espiritualización divinizante, desvelará el valor definitivo de lo que al principio debía ser un signo distintivo de la persona creada en el mundo visible, así como un medio para la mutua comunicación de las personas, y auténtica expresión de la verdad y del amor, por el cual se construye la *communio personarum*. Aquel perenne significado del cuerpo humano, al que se debe la existencia de cada uno de los hombres, agravado por la herencia de la concupiscencia, nos ha traído necesariamente una serie de humillaciones, de luchas y de sufrimientos. Pero entonces se descubrirá de nuevo en tal simplicidad y esplendor al mismo tiempo, que todos los que participen del «otro mundo» hallarán en su cuerpo glorificado la fuente de la libertad del don. La perfecta «libertad de los hijos de Dios» (cfr. *Rm* 8, 14) alimentará también con ese don cada una de las comuniones que constituirán la gran comunidad de comunión de los santos [15].

Si ante el Juicio Universal quedan deslumbrados por el esplendor y el espanto, admirando por una parte los cuerpos glorificados y por otra los sometidos a la eterna condenación, comprendemos también que todo el conjunto está profundamente penetrado de una única luz y una única lógica artística: la luz y la lógica de la fe que la Iglesia proclama al confesar: «Creo en un único Dios..., creador del cielo y de la tierra, de todas las cosas visibles e invisibles». Sobre la base de esa lógica, en el ámbito de la luz que proviene de Dios, también el cuerpo humano conserva su esplendor y su dignidad. Si lo apartamos de esa dimensión, en cierto modo se convierte en un objeto, que fácilmente se envilece, porque sólo ante los ojos de Dios el cuerpo humano puede permanecer desnudo y al descubierto y conservar innato su esplendor y su belleza [16].

Notas

1. Discurso a los militares italianos, 1 de marzo de 1979.
2. Exhortación apostólica *Catechesi Tradendae*, n. 29.
3. Discurso en el Centro Italiano de Solidaridad, 5 de agosto de 1979.
4. Roma. Parroquia de San Pío V. Discurso a las Comunidades religiosas, 28 de octubre de 1979.
5. Buenos Aires. Discurso a los jóvenes, 11 de abril de 1987.
6. *Dominum et vivificantem*, n. 57.
7. Carta Apostólica a los jóvenes del mundo.
8. Agrigento. Discurso a los jóvenes, 9 de mayo de 1993.
9. Discurso a los enfermos en la catedral de Córdoba. Argentina, 8 de abril de 1987.
10. Audiencia general, 27 de abril de 1994.
11. Audiencia general, 15 de junio de 1994.
12. Basílica Vaticana. Homilía a los universitarios, 5 de abril de 1979.
13. Audiencia general, 30 de septiembre de 1987.
14. Audiencia general, 30 de septiembre de 1987.
15. Audiencia general, 15 de enero de 1982.
16. Capilla Sixtina. Inauguración de la restauración de los frescos de Miguel Ángel, 8 de abril de 1994.

VI. MAL

«Nos hallamos aquí en el centro mismo de lo que podríamos llamar el "anti-Verbo", es decir, la "anti-verdad". De hecho se falsea la verdad del hombre, qué es el hombre y cuáles son los límites de su ser y de su libertad».

La inocencia original y el «pecado original»

La inocencia original pertenece al misterio del principio humano, del que el hombre histórico se apartó luego cometiendo el pecado original. Esto no significa, sin embargo, que no esté capacitado para acercarse a este misterio mediante su conocimiento teológico. El hombre histórico trata de comprender el misterio de la inocencia original casi por contraste, o sea, remontándose a la experiencia de la propia culpa y de la propia pecaminosidad. Intenta comprender la inocencia original como característica esencial para la teología del cuerpo, partiendo de la experiencia de la vergüenza. Así nos lo presenta el texto bíblico: la inocencia original es, pues, lo radical, lo que en su misma raíz excluye la vergüenza del cuerpo en la relación hombre-mujer, y elimina su necesidad en el hombre, en su corazón, en su conciencia [1].

El hombre, bajo la influencia del «padre de la mentira», se apartó de esa participación. ¿En qué medida? Por supuesto, no en la medida del pecado de un espíritu puro, como el pecado de Satanás. El espíritu humano es incapaz de alcanzar una medida semejante. En la misma descripción del Génesis es fácil notar la diferencia de grado entre «el soplo del mal» por parte de aquéllos que «es pecador (que permanece en el pecado) desde el principio» y que «ya está juzgado», y el mal de la desobediencia por parte del hombre.

Esta desobediencia, no obstante, significa volver para siempre la espalda a Dios y, en cierto sentido, cerrar la libertad humana a sus designios. Significa también una cierta apertura de esta libertad, del conocer y de la voluntad humana, hacia aquél que es «el padre de toda mentira». Este acto de decisión consciente no sólo es una desobediencia sino que lleva consigo una cierta adhesión a los motivos contenidos en la primera invitación al pecado, constantemente renovada durante toda la historia del hombre sobre la tierra: «Dios sabe que cuando vosotros comáis se os abrirán los ojos y seréis como Dios, conocedores del bien y del mal» [2].

El pecado contra el Espíritu Santo

Sobre el trasfondo de lo que hemos dicho hasta aquí, se hacen más comprensibles ciertas palabras de Jesús, fuertes e impresionantes. Las podríamos llamar las palabras del no-perdón. Nos son transmitidas por los Sinópticos en relación con un pecado concreto que se llama «blasfemia contra el Espíritu Santo». He aquí tal cómo las presenta la triple relación:

Mateo: «*Por eso os digo que se perdonará a los hombres todo pecado y toda blasfemia; pero la blasfemia contra el Espíritu no se les perdonará. Al que diga algo contra el Hijo del hombre, se le perdonará; pero al que lo diga contra el Espíritu Santo, no se le perdonará ni en este mundo ni en el otro*» (*Mt* 12, 31).

Marcos: «*Os aseguro que todo se les podrá perdonar a los hombres, los pecados y cualquier blasfemia que digan, pero el que blasfeme contra el Espíritu Santo no tendrá perdón jamás: será reo del pecado eterno*» (*Mc* 3, 18).

Lucas: «*Quien hable mal del Hijo del hombre, podrá ser perdonado, pero el que blasfeme contra el Espíritu Santo, no será perdonado*» (*Lc* 12, 10).

¿Por qué es imperdonable la blasfemia contra el Espíritu Santo? ¿Cómo hemos de entender esta blasfemia? Nos responde Sto. Tomás de Aquino que se trata de un pecado «irremisible por su misma naturaleza, por cuanto excluye los elementos gracias a los cuales nos llega el perdón de los pecados».

Según esa interpretación, la «blasfemia» no consiste precisamente en ofender de palabra al Espíritu Santo, sino que consiste en negarse a aceptar la salvación que Dios ofrece al hombre mediante el Espíritu Santo, que actúa en virtud del sacrificio de la cruz. Si el hombre rechaza aquel poder de «convencer en cuanto al pecado», que procede del Espíritu Santo y tiene carácter salvífico, está rechazando juntamente la «venida» del consolador —la «venida» que se hace real en el misterio pascual, unida con el poder redentor de la sangre de Cristo, la sangre que «purifica la conciencia de las obras muertas».

Sabemos que el fruto de semejante purificación es la remisión de los pecados. Por lo tanto, quien rechaza el Espíritu Santo y la sangre, se queda en sus «obras muertas», en el pecado. La blasfemia contra el Espíritu Santo consiste precisamente en el rechazo radical a aceptar esta remisión por parte de Aquél que es su íntimo dispensador, y que presupone la conversión real, operada por Él en la conciencia [3].

La triple concupiscencia y la pasión

La concupiscencia de la carne, y junto con ella, la concupiscencia de los ojos y la soberbia de la vida, está en el mundo y al mismo tiempo viene del mundo, no como fruto del misterio del bien y del mal en el corazón del hombre (cfr. *Gn* 2, 17). Los frutos de la triple concupiscencia no son el mundo creado por Dios para el hombre, cuya bondad fundamental hemos leído tantas veces en Gn 1: «*Vio Dios que era bueno* [...] *que todo era muy bueno*». En la triple concupiscencia fructifica, por el contrario, la ruptura de la primera alianza con el Creador, con Dios-Elohim, con Dios-Yahveh. Esta alianza fue rota en el corazón del hombre. Sería preciso hacer aquí un cuidadoso análisis de los acontecimientos descritos en Gn 3, 1-6. Pero aludiremos de forma general al misterio del pecado en los comienzos de la historia humana. Sólo como consecuencia del pecado, como fruto de esta ruptura de la alianza con Dios en el corazón del hombre —en lo más íntimo del hombre— el mundo del libro del Génesis se convirtió en el «mundo» de las palabras de san Juan (*1 Jn* 2, 15-16), lugar y fuente de concupiscencia [4].

Sofocando la voz de la conciencia, la pasión lleva consigo inquietud en el cuerpo y en los sentidos. Es la inquietud del hombre exterior. Cuando el hombre interior ha sido reducido al silencio, la pasión, después de haber obtenido —diríamos— libertad de acción, se manifiesta como una insistente tendencia a la satisfacción de los sentidos y del cuerpo.

Semejante enfriamiento, según el criterio del hombre dominado de la pasión, debería extinguir el fuego pero, al contrario, esto no alcanza las fuentes de la paz interior y se limita a tocar los niveles más externos del individuo humano.

La pasión tiende a la satisfacción; por eso embota la actividad reflexiva y desoye la voz de la conciencia. Así, sin tener en sí misma ningún principio de indestructibilidad, llega a término. Le es connatural el dinamismo del uso, que tiende a agotarse. Y es cierto que allí donde la pasión se afirma entre el conjunto de las más fuertes energías del espíritu, puede convertirse en fuerza creadora. Pero en esos casos debe sufrir una transformación radical. Si, por el contrario, sofoca las fuerzas más profundas del corazón y de la conciencia (como ocurre en el relato de Eclesiastés 23, 17-22), «se consume» e indirectamente con ella se consume el hombre mismo que tiene atrapado [5].

La lucha entre la carne y el espíritu

La «carne», en el lenguaje de las cartas de san Pablo, se refiere al hombre sometido al mundo no sólo externa sino también interiormente, encerrado en cierto sentido en el ámbito de aquellos valores que pertenecen exclusivamente al mundo y a aquellos fines que éste es capaz de imponer al hombre. Valores, por tanto, a los que el hombre es sensible en cuanto «carne». Por eso el lenguaje de san Pablo parece enlazar con los contenidos esenciales de Juan, y el lenguaje de ambos denota algo que se define con varios términos de la ética y de la antropología contemporánea, como por ejemplo «autarquía humanista», «secularismo», o también con un significado más general, «sensualismo». El hombre que vive según la carne es el hombre dispuesto exclusivamente para lo que viene del mundo. Es el hombre de los sentidos, el hombre de la triple concupiscencia. Y sus actos lo confirman.

Ese hombre vive casi en el polo opuesto con respecto al «querer del Espíritu». El Espíritu de Dios quiere una realidad diferente a la de la carne, aspira a una realidad diferente a la que aspira la carne, y eso tanto en el interior como en la fuente interna de las aspiraciones y de las aspiraciones del hombre, que le llevan «a hacer lo que no desean» (cfr. *Gal* 5, 17).

La tensión entre la carne y el Espíritu es, primero, inmanente, aunque no se reduzca a este nivel. Se manifiesta en su corazón como un combate entre el bien y el mal. Este deseo, del que Cristo habla en el sermón de la montaña (cfr. *Mt* 5, 27-28), si bien es un acto interior, se convierte —en lenguaje paulino— en una manifestación de la vida según la carne. Al mismo tiempo, aquel deseo nos permite constatar cómo en el interior del hombre la vida según la carne se opone a la vida según el Espíritu, y cómo ésta última, en el estado actual del hombre, dada su herencia de pecado, está constantemente expuesta a la debilidad y la insuficiencia de la primera, a la que muchas veces cede, si no es reforzada interiormente para hacer exactamente «lo que quiere el Espíritu». Podemos deducir que las palabras de Pablo, que tratan de la «vida según la carne» y la «vida según el Espíritu» son a la vez síntesis y programa; hay que entenderlas con esta clave [6].

Es significativo que Pablo, hablando de las «obras de la carne» (cfr. *Gal* 5, 11-12), menciona no sólo la «fornicación, las impurezas, el libertinaje... la borrachera, las orgías» —todo aquello que, según un modo objetivo de entenderlo, reviste el carácter de «pecados carnales» y del placer sensual relacionado con la carne—, sino que enumera también otros pecados, a los que no se nos ocurriría atribuir un carácter «carnal» y «sensual»: «la idolatría, brujería, enemistades, discordias, celos, disputas, divisiones, facciones, envidias...» (*Gal* 5, 20-21). Según nuestras categorías antropológicas (y éticas) nosotros nos inclinaríamos más bien a llamar a todas las obras aquí enumeradas «pecados del espíritu» humano, mejor que pecados de la «carne». Y en ellas veríamos, no sin motivo, más los efectos de la «concupiscencia de los ojos» o de la «soberbia de la vida», que los efectos de la «concupiscencia de la carne». Eso se puede entender solamente sobre el trasfondo de aquel significado más amplio (en cierto sentido, metonímico) que tiene en las cartas paulinas el término «carne», contrapuesto no tanto al «espíritu» humano, cuanto al «Espíritu Santo», que actúa en el alma (en el «espíritu» del hombre) [7].

El terrible mal del aborto

La Iglesia debe hoy también, con insistencia, con claridad y paciencia, comprometerse a favor del derecho a la vida de todos los hombres, sobre todo la de los niños todavía no nacidos, y precisamente por ello, más necesitados de protección. Ella debe comprometerse en la ilimitada validez del quinto mandamiento: «no matar». Más allá de buenas palabras y del rechazo de la reflexión, la mayoría lo sabe muy bien: el aborto es el homicidio voluntario de una vida humana inocente.

Ningún movimiento por la paz es digno de este nombre si no condena y no se opone con igual fuerza a la batalla contra la vida naciente. Ningún movimiento ecológico puede ser considerado en serio si ignora los malos tratos y la destrucción de innumerables niños que en el seno materno podrían seguir viviendo. Ninguna mujer emancipada puede alegrarse de su mayor autodeterminación si ésta se obtiene a costa de una vida humana confiada a su cuidado y que tenía, a su vez, derecho a la autodeterminación [8].

La victoria sobre el mal

En Cristo el mal ha sido ya vencido, la muerte ha sido destruida en su misma raíz, que es el pecado. Cristo descendió hasta lo profundo del corazón humano con el arma más poderosa: el amor, que es más fuerte que la muerte (cfr. *Cant* 8, 6). De este modo, nosotros los cristianos —y más todavía nosotros, los ministros de Dios— no marchamos por la historia con paso incierto. No podemos hacerlo porque hemos sido rescatados del «*poder de las tinieblas*» (*Col* 1, 13). Avanzamos por el camino justo «*en la herencia de los creyentes en la luz*» (*Col* 1, 12). Por lo tanto, cualquier inseguridad que nos pueda inquietar, cualquier tentación de tipo personal o referente a la eficacia de nuestra misión y nuestro ministerio, podremos superarla desde esta magnífica perspectiva de unión con Cristo, en el cual todo lo podemos. Porque Él es nuestra victoria definitiva. Únicamente en Él está el principio y la raíz de nuestra victoria personal; en Él encontramos la fuerza necesaria para superar cualquier dificultad, porque el Señor es para nosotros «sabiduría, justicia, santificación y redención» (*1 Cor* 1, 30) [9].

El reto del uso de la libertad

Pablo nos pone en guardia frente a la posibilidad del mal uso de la libertad, un uso que se contradiga con la liberación del espíritu humano cumplido por Cristo y que se oponga a aquella libertad con la que Cristo nos ha liberado. De hecho, Cristo realizó y manifestó la libertad que halla su plenitud en la caridad, en la libertad gracias a la cual estamos «unos al servicio de los otros»; en otras palabras, la libertad que se convierte en fuente de obras nuevas y de vida según el Espíritu. La antítesis y, en cierto modo, la negación de un tal uso de la libertad se produce cuando ésta se convierte en un pretexto para el hombre para vivir según la carne. Deja de ser la auténtica libertad por la cual Cristo nos ha liberado y se convierte en un pretexto para vivir según la carne, fuente (o quizás instrumento) de un juego concreto por parte de la soberbia de la vida, de la concupiscencia de los ojos y de la concupiscencia de la carne. El que vive de este modo «según la carne», es decir, el que se somete —aunque no sea de forma totalmente consciente, pero sí efectiva— a la triple concupiscencia, y en particular a la concupiscencia de la carne, deja de estar capacitado para aquella libertad en la que Cristo nos ha liberado; deja de ser idóneo para el auténtico don de sí, que es el fruto y la expresión de aquella libertad. Deja de ser capaz además de aquel don que está orgánicamente unido con el significado esponsal del cuerpo humano, del que hemos hablado en los anteriores análisis del libro del Génesis (cfr. *Gn* 2, 23-25) [10].

El sacramento de la Penitencia

El perdón de los pecados experimentado por primera vez en el Bautismo es una necesidad constante en la vida de todo cristiano. Restablecer un correcto sentido del pecado es el primer paso que se debe dar para afrontar con objetividad la grave crisis espiritual que pesa hoy sobre los hombres y las mujeres, una crisis que se puede describir muy bien como un «eclipse de la conciencia» (*Reconciliatio et paenitentia,* n. 18). Sin una sana conciencia de los propios pecados, las personas no experimentarán nunca la profundidad del amor redentor de Dios cuando son todavía pecadores (cfr. *Rm* 5, 8). Puesto que se ha extendido la idea según la cual la felicidad consiste en satisfacerse a sí mismo y en satisfacerse consigo mismo, la Iglesia debe proclamar aún más enérgicamente que es únicamente la gracia de Dios, y no los modelos terapéuticos o de autojustificación, lo que puede curar la división producida por el pecado en el corazón humano (cfr. *Rm* 3, 24; *Ef* 2, 5).

Para los católicos en su condición de pecadores mortales, la confesión individual y completa, con la correspondiente absolución, sigue siendo el único modo ordinario gracias al cual un fiel se reconcilia con Dios y con la Iglesia (cfr. *Catecismo de la Iglesia Católica,* n. 1484; CIC can 960; *Reconciliatio et paenitentia,* n. 17). La palabra absolutoria del Médico Divino —«*tus pecados te son perdonados*» (*Mc*

2, 5)— pronunciada por el sacerdote que actúa «in persona Christi Capitis» se dirige personalmente a cada penitente. Cualquier excepción en esta práctica está regulada por condiciones de *gravis necessitas* que exigen conceder la absolución general (CIC, can 961); cfr. *Catecismo de la Iglesia Católica*, n. 1483), interpretadas según la opinión claramente expresada por la Iglesia a este respecto [11].

Purificad vuestros corazones con el sacramento de la Reconciliación. Mienten quienes acusan a la invitación que la Iglesia hace a la penitencia como proveniente de una mentalidad represiva. La Confesión sacramental no constituye una represión, sino una liberación; no recrudece el sentimiento de culpa, sino que borra la culpa, disuelve el mal cometido y da la gracia. Las causas del mal no deben buscarse fuera del hombre, sino sobre todo en el interior de su corazón; y el remedio para ellas nace también del corazón. Entonces los cristianos, mediante la sinceridad del propio interés por la conversión, deben rebelarse contra el achantamiento del hombre y proclamar con su propia vida la alegría de la verdadera liberación del pecado por el perdón de Cristo [12].

A aquéllos que se han alejado del sacramento de la Reconciliación y del amor misericordioso, les hago esta llamada: volved a esta fuete de gracia, ¡no tengáis miedo! Cristo mismo os está esperando. Él os curará, y estaréis en paz con Dios.

A todos los jóvenes de la Iglesia, les dirijo una invitación particular a recibir el perdón de Cristo y su fuerza en el sacramento de la Penitencia. Es un signo de fuerza ser capaz de decir: me he equivocado; he pecado, Padre; te he ofendido, Dios mío; lo siento; te pido perdón; lo intentaré otra vez, porque tengo confianza en tu fuerza y creo en tu perdón. Y sé que el poder del Misterio Pascual de tu Hijo —la Muerte y la Resurrección de nuestro Señor Jesucristo— es más grande que mi debilidad y que todos los pecados del mundo. ¡Iré, confesaré mis pecados y seré curado, y viviré en tu amor! [13]

Notas

1. Audiencia general, 30 de enero de 1980.
2. Carta Encíclica *Dominum et vivificantem*, n. 37.
3. *Dominum et vivificantem*, n. 46
4. Audiencia general, 30 de abril de 1980.
5. Audiencia general, 10 de septiembre de 1980.
6. Audiencia general, 17 de diciembre de 1980.
7. Audiencia general, 7 de enero de 1981.
8. Discurso en la Plaza del Castillo de Münster, 1 de mayo de 1987.
9. Discurso al clero y a los religiosos. Catedral de Santiago de Chile, 1 de abril de 1987.
10. Audiencia general, 14 de enero de 1981.
11. A los obispos estadounidenses de Alabama, Kentucky, Louisiana, Missisipi y Tennessee, 5 de mayo de 1993.
12. Basílica Vaticana. Homilía a los universitarios, 5 de abril de 1979.
13. San Antonio, EE.UU, 13 de septiembre de 1987.

VII. TRABAJO

«El trabajo debe ayudar al hombre a hacerse mejor, más maduro espiritualmente, más responsable, para que pueda realizar su vocación sobre la tierra, tanto como persona irrepetible como en la comunidad con los demás, y sobre todo en la comunidad humana fundamental que es la familia.»

Valor y dignidad del trabajo

La Iglesia, fiel a su divino Fundador, siempre ha respetado y promovido la dignidad del trabajo. Y lo ha hecho reivindicando el papel fundamental que compete al trabajo del hombre en el diseño de Dios: lo ha hecho exaltando las metas que la inteligencia humana ha sabido alcanzar, especialmente en el campo de la ciencia y de la técnica; lo ha hecho mostrando su predilección hacia todos los trabajadores y, en particular, hacia los probados más duramente por la fatiga, como los obreros y los campesinos; lo ha hecho acogiendo y tutelando sus peticiones, sus intereses y sus legítimas aspiraciones; lo ha hecho acercándose al mundo del trabajo, tanto en las chabolas como en sus tugurios humildes, o en sus viviendas cómodas, para asistirlos material y espiritualmente, preservarlos de muchos peligros, tutelar su sentido moral y social y mejorar sus condiciones de vida [1].

El trabajo es la dimensión fundamental de la existencia del hombre sobre la tierra. Para el hombre, el trabajo no tiene sólo un significado técnico, sino también ético. Se puede decir que el hombre «somete» a sí la tierra cuando él mismo, con su comportamiento, llega a ser señor, no esclavo, y también señor y no esclavo del trabajo.

El trabajo debe ayudar al hombre a hacerse mejor, más maduro espiritualmente, más responsable, para que pueda realizar su vocación sobre la tierra, tanto como persona irrepetible como en la comunidad con los demás, y sobre todo en la comunidad humana fundamental que es la familia. Al unirse uno y otra, el hombre y la mujer, precisamente en esta comunidad, cuyo carácter ha sido establecido por el mismo Creador desde los inicios, dan vida a nuevos hombres. El trabajo debe hacer posible que esta comunidad humana encuentre los medios necesarios para formarse y para mantenerse [2].

¡Que el trabajo no sea nunca más un perjuicio para el hombre! En muchas partes ya se reconoce que el progreso técnico no está acompañado de un adecuado respeto del hombre. La técnica, bien admirable en sus continuas conquistas, a menudo ha empobrecido al hombre en su humanidad, privándolo de su dimensión interior y espiritual, sofocando en él el sentido de los valores verdaderos y superiores. ¡Es preciso restituir el primado de lo espiritual! La Iglesia invita a conservar la justa jerarquía de los valores. Que el célebre binomio benedictino *«Ora et labora»* sea para vosotros, hombres y mujeres, fuente inseparable de verdadera sabiduría, de equilibrio seguro, de perfección humana: la oración da alas al trabajo, purifica las intenciones, lo defiende de los peligros de la torpeza y de la negligencia; y el trabajo hace volver a descubrir, después de la fatiga, la fuerza tonificante del encuentro con Dios, en quien el hombre encuentra toda su verdadera y grande estatura. *«Ora et labora»* [3].

Según el Concilio (LG, 41), el trabajo constituye un camino hacia la santidad, porque ofrece la ocasión de:

a) *Perfeccionarse uno mismo*. El trabajo, de hecho, desarrolla la personalidad del hombre, ejercitando sus cualidades y capacidades. Lo comprendemos mejor en nuestra época, con el drama de los numerosos desempleados que se sienten disminuidos en su dignidad de personas humanas. Es preciso dar el máximo relieve a esta dimensión personalista en favor de todos los trabajadores, buscando asegurar en cada caso las condiciones de trabajo dignas del hombre.

b) *Ayudar a los conciudadanos*. Es la dimensión social del trabajo, que es un servicio para el bien de todos. Esta orientación debe subrayarse siempre: el trabajo no es una actividad egoísta, sino altruista; no se trabaja exclusivamente para uno mismo, sino también para los demás;

c) *Hacer progresar toda la sociedad y la creación*. El trabajo alcanza, pues, una dimensión histórico-escatológica, y podría decirse cósmica, en cuanto que su finalidad es la de contribuir a mejorar las condiciones materiales de la vida y del mundo, ayudando a la humanidad a lograr, en esta vida, las metas superiores a las que Dios la llama. El progreso actual hace más evidente esta finalidad del trabajo al producirse una mejora a escala universal. Pero queda mucho por hacer para adecuar el trabajo a estos fines deseados por el mismo Creador;

d) *Imitar a Cristo* con caridad activa [4].

La Iglesia y la cuestión social

La evangelización, deber de la Iglesia en cada tiempo y en cada lugar, repercute necesariamente en la vida de la sociedad humana. No se puede circunscribir la Iglesia a sus templos, como no se puede limitar Dios a la conciencia de los hombres. La Iglesia, fiel a su misión redentora, trata de acercar todos los hombres a Dios, y engrandece la dignidad del hombre porque trata de hacerlo igual a Jesucristo. Por eso mismo, pide a todos los cristianos que, en calidad de corresponsables de la misión de Cristo y como miembros de la misma Iglesia, hagan todo lo posible por afirmar y defender la dignidad de sus hermanos los hombres, con todas las consecuencias espirituales y materiales de tal dignidad en la vida de cada persona y de toda la sociedad. Lo pide porque el deseo del Señor es: «*Amaos los unos a los otros como yo os he amado*» (*Jn* 13, 34). Este amor a los otros es lo que distingue al discípulo de Cristo (cfr. *Jn* 13, 35) y lo hará merecedor del premio o del castigo eterno (cfr. *Mt* 25, 31-46) [5].

La Iglesia no sólo exhorta al bien, sino que se preocupa, con su doctrina social, de iluminar a los hombres para orientarlos en el camino que deben seguir en su búsqueda legítima de la felicidad y para guiarlos al descubrimiento de la verdad en medio de las continuas ofertas de las ideologías dominantes. La propuesta cristiana se caracteriza por el optimismo y la esperanza, porque se basa en el hombre y desde un sano humanismo quiere hacer oír su voz en las instituciones sociales, políticas y económicas. Se inspira en el hombre y lo considera protagonista en la construcción de la sociedad. Pero se trata —esto ha de tenerse siempre presente— del hombre creado a imagen y semejanza de su Creador y llamado a plasmar esta imagen en su vida individual y comunitaria. Se trata, en esencia, de un optimismo realista, no utópico, porque es conocedor de la existencia, siempre perniciosa, del pecado que se manifiesta también en las estructuras que, en vez de servir al hombre, se vuelven contra él. Y precisamente por esto sale a la luz una ambivalencia que hace de toda la realidad un posible instrumento para la actuación del plan de Dios o, al contrario, un obstáculo al mismo, como resultado del egoísmo humano y de la presencia del mal [6].

La doctrina social de la Iglesia *no es una «tercera vía» entre el capitalismo liberal y el colectivismo marxista,* ni tampoco una posible alternativa a otras soluciones menos contrapuestas radicalmente: constituye una *categoría propia.* No es tampoco una ideología, sino la *cuidadosa formulación* de los resultados de una atenta reflexión sobre las complejas realidades de la existencia del hombre, en la sociedad y en el contexto internacional, a la luz de la fe y de la tradición eclesial. Su objetivo principal es *interpretar* tales realidades, examinando la conformidad o deformidad con las líneas de enseñanza del Evangelio acerca del hombre y su vocación terrena y, a la vez, trascendente; para *orientar,* por tanto, el comportamiento cristiano. Por eso mismo, no pertenece al ámbito de la *ideología,* sino al de la *teología* y especialmente de la teología moral.

La enseñanza y la difusión de la doctrina social forma parte de la misión evangelizadora de la Iglesia. Y como se trata de una doctrina que se dirige a guiar la *conducta de las personas,* tiene como consecuencia el «compromiso por la justicia» según el papel, la vocación y las condiciones de cada uno (n. 41) [7].

La solidaridad

La *solidaridad* nos ayuda a ver al «otro» —persona, pueblo o nación—, no como un instrumento cualquiera para explotar a bajo coste su capacidad de trabajo y de resistencia física, abandonándolo después cuando ya no sirve, sino como un «semejante» nuestro, una «ayuda» (cfr. *Gn* 2, 18-20), para hacerle partícipe, igual que nosotros, del banquete de la vida al que todos los hombres son igualmente invitados por Dios. De aquí la importancia de despertar la conciencia religiosa de los hombres y de los pueblos (n. 39).

La solidaridad que proponemos es un camino hacia la paz y hacia el desarrollo. En efecto, la paz del mundo es inconcebible si no se logra reconocer, por parte de los responsables, que la interdependencia exige de por sí la superación de la política de los bloques, la renuncia a toda forma de imperialismo económico, militar o político, y la transformación de la mutua desconfianza en colaboración. Éste es, precisamente, el acto propio de la solidaridad entre individuos y entre naciones (n. 39).

La solidaridad es, sin duda, una virtud cristiana. Ya en la exposición precedente era posible vislumbrar numerosos puntos de contacto entre ella y la caridad, que es el signo distintivo de los discípulos de Cristo (cfr. *Jn* 13, 35).

A la luz de la fe, la solidaridad tiende a superarse a sí misma, a revestir las dimensiones específicamente cristianas de la gratuidad total, el perdón y la reconciliación. Entonces el prójimo no es sólo un ser humano con sus derechos y su igualdad fundamental ante todos, sino que se convierte en la imagen viva de Dios Padre, rescatada por la sangre de Jesucristo y puesta bajo la acción permanente del Espíritu Santo. Por tanto, debe ser amado, aunque sea enemigo, con el mismo amor con que le ama el Señor, y por él es necesario estar dispuestos al sacrificio, incluso extremo: «dar la vida por los propios hermanos» (cfr. *1 Jn* 3, 16).

Entonces, la conciencia de la paternidad común de Dios, de la hermandad de todos los hombres en Cristo, «hijos en el Hijo», de la presencia y acción vivificadora del Espíritu Santo, conferirá a nuestra mirada sobre el mundo un nuevo criterio para interpretarlo. Más allá de los vínculos humanos y naturales, tan fuertes y profundos, se percibe a la luz de la fe un nuevo modelo de unidad del género humano, en el cual debe inspirarse, en última instancia, la solidaridad (n. 40) [8].

El desarrollo económico

Todo desarrollo auténtico no puede fundarse sólo sobre el beneficio económico, el cual, si se lleva a lo absoluto, conduce más bien a la corrupción. Es indispensable que toda la comunidad civil crezca y se funde sobre valores morales fuertes, y la fuente de tales valores, vosotros lo sabéis, ¡es espiritual!

Sólo la luz de la conciencia y de las leyes morales permite encontrar soluciones equitativas a las graves cuestiones que se encuentran en la vida diaria y en la organización de la sociedad [9].

Muchas veces, una lógica económica exclusivista, corrompida ulteriormente por un materialismo craso, ha invadido todos los campos de la existencia, poniendo en peligro el ambiente, amenazando a las familias y destruyendo todo respeto por la persona humana. Las fábricas arrojan sus residuos, deforman y contaminan el ambiente y hacen irrespirable el aire. Oleadas de inmigrantes se hacinan en casuchas indignas, donde muchos pierden la esperanza y mueren en la miseria. Los niños, los jóvenes y los adolescentes no encuentran espacios vitales para desarrollar plenamente sus energías físicas y espirituales, muchas veces recluidos en ambientes malsanos o compelidos a estar en la calle, donde transcurre el tráfico, entre edificios de cemento y el anonimato de la muchedumbre, que se consume sin conocerse nunca. Al lado de barrios donde se vive con todas las comodidades modernas existen otros donde faltan las cosas más elementales, y algunas periferias van creciendo desordenadamente. Muchas veces el desarrollo se transforma en una versión gigantesca de la parábola del rico y de Lázaro. La proximidad del lujo y de la miseria acentúan el sentimiento de frustración de los desheredados. Se impone aquí una pregunta fundamental: ¿cómo transformar la ciudad en una ciudad verdaderamente humana, en su ambiente natural, en sus construcciones y en sus instituciones?

Una condición esencial es la de dar a la economía un sentido y una lógica humanos. Vale aquí lo que se dice con respecto al trabajo. Es necesario liberar los diversos campos de la existencia del dominio de un economismo subyugador. Es necesario colocar las exigencias económicas en su justo lugar y crear un tejido social multiforme que impida la masificación. Nadie está dispensado de colaborar en este deber. Todos pueden hacer algo en ellos mismos y en su entorno. ¿No es acaso verdad que los barrios más desprovistos son muchas veces el lugar donde la solidaridad suscita gestos de mayor desinterés y generosidad? Cristianos, donde quiera que estéis, asumid vuestra parte de responsabilidad en este inmenso esfuerzo por la reestructuración humana de la ciudad. Vuestra fe tiene un deber. La fe y la experiencia, juntas, os darán luz y energía para caminar [10].

Significado e interpretación del capitalismo

Si con el término «capitalismo» se indica un sistema económico que reconoce el papel fundamental y positivo de la empresa, del mercado, de la propiedad privada y de la consiguiente responsabilidad para con los medios de producción, de la libertad creativa humana en el sector de la economía, la respuesta ciertamente es positiva [...] Pero si por él se entiende un sistema en el que la libertad, en el sector de la economía, no esta encuadrada en un sólido contexto jurídico que la ponga al servicio de la libertad humana integral y la considere como una particular dimensión de esta libertad, cuyo centro es ético y religioso, entonces la respuesta es decididamente negativa (n. 42) [11].

El solo criterio del beneficio no basta, sobre todo cuando se ha erigido como criterio absoluto: «ganar» más para «poseer» más, y no sólo objetos tangibles, sino también participaciones financieras que consienten nuevas formas de propiedad cada vez más abundantes y cada vez más dominadoras. No se trata de que aspirar a un beneficio sea una cosa injusta por sí misma. Una empresa no podría pasarse sin él. La búsqueda razonable del beneficio, del resto, guarda relación con el derecho a la «iniciativa económica».

Lo que intento decir es sólo que, para ser «justo», el beneficio debe estar sometido a criterios morales, en particular a los que están relacionados con el principio de solidaridad.

La ley del beneficio y las exigencias de un empeño empresarial cada vez más agotador no pueden sustituir nunca el deber que tiene cada hombre y cada mujer de estar abierto a la familia, al prójimo, a la cultura, a la sociedad y, sobre todo, a Dios. Esta múltiple disponibilidad de los valores superiores de la persona humana ciertamente ayudará a dar al mismo trabajo empresarial su verdadero sentido y su justa medida.

Hoy un importante deber de los empresarios cristianos, pero también de cuantos se interesan por el verdadero bien del hombre, sería establecer una escala de prioridades entre los bienes a producir. No todos los bienes, de hecho, son igualmente útiles y necesarios. El criterio de la solidaridad y del bien común viene aquí precisado y afinado en el intento de hacer comprender mejor que ciertos productos tocan más de cerca el «ser» del hombre, mientras que otros no sirvan más que para el «tener» y, por tanto, como tales, valen menos desde el punto de vista humano, cualquiera que sea su valor de mercado. Multiplicarlos, con una excesiva y artificial sustitución de modelos siempre nuevos y de repente envejecidos, es lo que llamamos «consumismo» (cfr. *Sollicitudo Rei Socialis,* 28). Una empresa no debería tratar de crear necesidades superfluas para después buscar satisfacerlas con productos cada vez más sofisticados, causa, a su vez, de nuevas necesidades [12].

Cada vez son más numerosos los países víctimas de la explotación en el contexto del vigente sistema económico internacional. Se paga cada vez menos por los productos del duro trabajo de la tierra, se exige cada vez más por los de la actividad industrial y de esta manera, en vez de al desarrollo al cual van dirigidas, muchas naciones están condenadas al estancamiento, al desempleo y a la emigración. Se trata de un injusto sistema que hoy llega a ser un problema mundial: es una injusticia que clama al así llamado primer mundo ante al deterioro de las condiciones de los pueblos del tercer mundo. ¿No se ha alterado acaso, a gran escala, el orden fundamental que garantiza la prioridad del trabajo sobre el capital? ¿No se hace acaso el capital cada vez más poderoso e inhumano? Y el hombre y la familia son cada vez más víctimas de semejantes situaciones [13].

El drama del desempleo

Vuestra aspiración primera y fundamental es, por consiguiente, trabajar. ¡Cuántos sufrimientos, cuántas angustias y miserias causa el desempleo! Por esto, la primera y fundamental preocupación de todos y cada uno: hombres del gobierno, políticos, dirigentes sindicales y empresarios, debe ser ésta: dar trabajo a todos. Esperar la solución del problema como resultado más o menos automático de un orden y de un desarrollo económico, cualesquiera que sean, en los que el empleo aparece como una consecuencia secundaria, no es realista y, por tanto, no es admisible. La teoría y la praxis económicas deben tener el valor de considerar el empleo y sus posibilidades modernas como un elemento central de sus objetivos [14].

En el centro de todas las reflexiones sobre el mundo del trabajo y sobre la economía debe estar siempre el hombre. Con toda la justicia objetiva necesaria, siempre debe ser decisivo el respeto por la dignidad intangible del hombre, no sólo del simple trabajador, sino también de su familia; no sólo de los hombres de hoy, sino también de las futuras generaciones.

Desde este principio, que exige, aún más que en el pasado, un cambio de pensamiento, desciende también la luz sobre la comprensión de los problemas de vuestro país, que aquí sólo puedo recordar brevemente, pero que tengo bien presentes.

Pienso, por ejemplo, en aquéllos cuyo puesto de trabajo está en peligro, o bien lo han perdido. Se puede demostrar, tras una comprobación muy cuidadosa, que una reestructuración de los grupos es necesaria, y cuanto más serenamente se vea, tanto mejor es. Pero los trabajadores, que durante muchos años han dado lo mejor de sí mismos, nunca deben ser los únicos en sufrir estas desventajas [15].

Notas

1. Discurso a los trabajadores, Buenos Aires, 10 de abril de 1987.
2. Asna Ga. Discurso a los obreros y a los mineros, 6 de junio de 1979.
3. Turín. Discurso a los trabajadores, 13 de abril de 1980.
4. Audiencia general, 20 de abril de 1994.
5. Discurso al Cuerpo Diplomático y a las Autoridades Políticas, Asunción, Paraguay, 16 de mayo de 1988.
6. Discurso a los «Constructores de la Sociedad», Asunción, Paraguay, 17 de mayo de 1988.
7. Carta Encíclica *Sollicitudo Rei Socialis*, 1987.
8. Carta Encíclica *Sollicitudo Rei Socialis*, 1987.
9. Mazara del Vallo, 8 de mayo de 1993.
10. São Paulo, Brasil. Discurso a los obreros, 3 de julio de 1980.
11. Carta Encíclica *Centesimus Annus*, 1991.
12. Verona. Discurso a los empresarios, 17 de abril de 1988.
13. Discurso a los directivos y a los trabajadores del Instituto Poligráfico y a los técnicos del Estado, 19 de marzo de 1994.
14. São Paulo, Brasil. Discurso a los obreros, 3 de julio de 1980.
15. Maguncia. Homilía a los trabajadores, 16 de noviembre de 1980.

VIII. MUNDO

«No es difícil ver cómo el mundo actual, a pesar de su belleza y grandeza, a pesar de las conquistas de la ciencia y de la tecnología, a pesar de los apetecibles y abundantes bienes materiales que ofrece, está ansioso de más verdad, de más amor y de más alegría.»

El mundo a la luz de la Palabra de Dios

Cristo dice: el Reino de los cielos es semejante a *«una red que echan al mar y recoge toda clase de peces»* (*Mt* 13, 47). Estas sencillas palabras cambian por completo la fisonomía del mundo: la fisonomía de nuestro mundo humano, como lo hacemos nosotros con la experiencia y la ciencia. Experiencia y ciencia no pueden atravesar los confines del «mundo» y de la existencia humana en él, que están necesariamente unidos con el «mar del tiempo»: los confines de un mundo en el que el hombre nace y muere, en correspondencia con las palabras del Génesis: *«Ciertamente eres polvo y al polvo volverás»* (*Gn* 3, 19). La comparación de Cristo, por el contrario, habla de la transposición del hombre en otro «mundo», en otra dimensión de su existencia. El Reino de los cielos es en verdad esta nueva dimensión, que se abre sobre el «mar del tiempo» y es, al mismo tiempo, la «red» que trabaja en este mar para el destino del hombre y de todos los hombres de Dios [1].

No podemos mirar al mundo de la técnica, obra del hombre, como a un reino completamente alejado de la verdad. Es verdad que han mejorado de forma decisiva las condiciones de vida; pero las dificultades derivadas de los efectos negativos producidos por el desarrollo de la civilización técnica, no justifican el descuido de los bienes que este mismo progreso ha aportado.

No existe motivo alguno para concebir la cultura técnico-científica en oposición con el mundo de la creación de Dios. Está claro, sin ninguna duda, que el conocimiento técnico puede ser utilizado tanto para el bien como para el mal. Quien investiga sobre los efectos de los venenos podrá utilizar ese conocimiento para sanar como para matar. Pero no se pueden tener dudas sobre la dirección a la que hay que mirar para distinguir el bien del mal.

La ciencia técnica, dirigida a la transformación del mundo, se justifica según el servicio que aporta al hombre y a la humanidad [2].

Iglesia y mundo: los peligros del post-Concilio

Quisiera encomendar, a vuestro cuidado de pastores, dos grupos en particular: se trata de aquéllos que, desde los impulsos del Concilio Vaticano II, han sacado la falsa conclusión de que el diálogo en el que ha entrado la Iglesia es incompatible con el claro compromiso del Magisterio y de las normas de la misma Iglesia, con el mandato del oficio jerárquico fundado inequívocamente en la misión de Cristo a la Iglesia. Demostrad que ambos van juntos: fidelidad a la misión imprescindible y proximidad al hombre con sus experiencias y sus problemas.

El otro grupo es aquél que, en parte a causa de consecuencias no conformes o demasiado irreflexivas sacadas del Concilio Vaticano II, no se siente ya acogido en la Iglesia de hoy o intenta apartarse sin más. Aquí se trata de transmitir a estos hombres, con la mayor decisión, pero a la vez con toda prudencia, que la Iglesia del Vaticano II y la del Vaticano I y la de Trento y la de los primeros concilios es una y la misma Iglesia.

Comprometeos con todas vuestras fuerzas para que los criterios inquebrantables y las normas del obrar cristiano se conviertan de manera clara a la vez que atrayente en valores en la vida de los creyentes.

Entre los hábitos de vida de una sociedad secularizada y la exigencia del Evangelio se va creando una profunda fractura. Muchos quieren participar en la vida eclesial, pero ya no encuentran relación alguna entre el mundo en el que viven y los principios cristianos. Se cree que la Iglesia se adhiere solidariamente a sus normas sólo por rigidez y que esto contrasta con la misericordia de la que Jesús nos da ejemplo en el Evangelio. Las firmes demandas de Jesús, su palabra: «*Vete y de ahora en adelante no peques más*» (*Jn* 8, 11) llegan a ignorarse. A menudo se produce un encierro en la conciencia personal, pero se olvida que esa conciencia es el ojo que, solo, no posee la luz, sino únicamente cuando mira a la auténtica fuente de la luz.

Otra cosa más: ante la mecanización, la funcionalización y la organización es verdad que se despierta, en la generación más joven, una profunda desconfianza en la institución, en las normas y en la reglamentación. Se contrapone la Iglesia, con su constitución jerárquica, con su liturgia ordenada, con sus dogmas y sus normas, al espíritu de Jesús. Pero el espíritu necesita de bases que lo conserven y lo transmitan. Cristo mismo es el origen de todas las misiones y de todos los mandatos de la Iglesia, en la que se cumple su promesa: «*Y sabed que yo estoy con vosotros todos los días hasta el fin del mundo*» (*Mt* 28, 20) [3].

Las necesidades espirituales del mundo

En el conocimiento de Cristo tenéis la clave del Evangelio. En el conocimiento de Cristo tenéis una comprensión de las necesidades del mundo. Ya que Él se hace uno de nosotros en todo, excepto en el pecado, vuestra unión con Jesús de Nazaret no podrá ser nunca y no será nunca un obstáculo para comprender las necesidades del mundo y para responder a ellas. Y, finalmente, en el conocimiento de Cristo no solamente descubriréis y comprenderéis los límites de la sabiduría humana y de las soluciones humanas a las necesidades de la humanidad, sino que también experimentaréis el poder de Jesús y el valor de la razón humana y del esfuerzo humano cuando son asumidos por la fuerza de Jesús, cuando son redimidos en Cristo [4].

No se puede reducir al hombre a la esfera de sus necesidades materiales. No se puede medir el progreso sólo con los valores de la economía. La dimensión espiritual del ser humano debe encontrarse en el punto justo. El hombre es él mismo a través de la maduración de su espíritu, de su conciencia, de su relación con Dios y con el prójimo. No será posible un mundo mejor ni un mejor orden de la vida social si no se da prioridad a estos valores del espíritu humano. Recordad esto bien, todos vosotros que justamente deseáis cambios en favor de una sociedad mejor y más justa; vosotros, jóvenes, que justamente contempláis todos los daños, discriminaciones, violencias y tormentos en las miradas de los hombres. Recordad que el orden que deseáis es el orden moral; y no lo conseguiréis de otra manera sino dando prioridad a todo lo que constituye la fuerza del espíritu humano: justicia, amor y amistad [5].

El mundo moderno y la presencia de Cristo

Un evidente materialismo impone hoy su dominio sobre el hombre de muchas formas diferentes y con una agresividad que no perdona a nadie. Los principios más sagrados, que en un tiempo fueron segura guía para el comportamiento de los individuos y de la sociedad, han sido completamente eliminados por falsas promesas acerca de la libertad, el carácter sagrado de la vida, la indisolubilidad del matrimonio, el auténtico significado de la sexualidad humana, la actitud justa en las comparaciones de los bienes materiales que ofrece el progreso. Hoy muchas personas están tentadas por la indulgencia hacia sí mismas y por el consumismo, y la identidad del hombre a menudo se define según lo que cada uno posee. La prosperidad y la abundancia, accesibles a estratos cada vez más amplios de la sociedad, tienden a hacer que el pueblo se convenza de tener derecho a todo lo que la prosperidad puede ofrecer, y de poder llegar a ser siempre más egoístas en sus peticiones. Cada cual pretende plena libertad en todos los sectores del comportamiento humano y nuevos modelos de moralidad se van proponiendo en nombre de una pretendida libertad. Cuando la fibra moral de una nación se debilita, cuando el sentido de la responsabilidad personal se debilita, entonces se empiezan a justificar las injusticias, la violencia en todas sus formas, y la manipulación de la mayoría por parte de unos pocos. El desafío, que ya está entre nosotros, lo constituye la tentación de aceptar como verdadera libertad lo que en realidad es sólo una nueva forma de esclavitud.

Se hace cada vez más urgente arraigarnos en la verdad que viene de Cristo, que es *«el camino, la verdad y la vida»* (*Jn* 14, 6) y en la fuerza que Él mismo nos ofrece mediante su Espíritu. Es especialmente en la Eucaristía donde se nos da la fuerza y el amor del Señor [6].

El mensaje del amor que lleva Cristo es siempre importante, siempre interesante. No es difícil ver cómo el mundo actual, a pesar de su belleza y grandeza, a pesar de las conquistas de la ciencia y de la tecnología, a pesar de los apetecibles y abundantes bienes materiales que ofrece, está ansioso de más verdad, de más amor y de más alegría. Y todo esto se encuentra en Cristo y en su modelo de vida [7].

Mensaje moral y pluralismo

Todo presunto progreso es verdadero progreso sólo cuando sirve al hombre en su totalidad. Esta integridad del hombre incluye, además de los valores materiales, también necesariamente los valores espirituales y morales.

En consecuencia, es un error bastante deplorable y de consecuencias graves que se cambie a menudo, en la sociedad moderna, un justificado pluralismo por una neutralidad de los valores y que, en nombre de una democracia mal entendida, se crea poder prescindir cada vez más de las normas éticas y del uso de la categoría moral del bien y del mal en la vida pública.

En virtud del mandato profético que le ha sido transmitido, la Iglesia no puede nunca dejar de indicar como culpa moral o como pecado, en nombre de la verdad, todo lo que infringe abiertamente la dignidad del hombre y el mandamiento de Dios. En particular, no puede callar cuando bienes de derecho tan elevados como la vida humana, en cualquier forma y en cualquier estadio, corren el riesgo de ser objeto de arbitrio.

La Iglesia ha sido enviada a dar testimonio de la verdad, y con ello realiza una preciosa aportación a un planteamiento de la vida social y pública digno del hombre. Oportuna e inoportunamente recuerda la alta dignidad y la vocación del hombre como criatura de Dios. Esta dignidad, reconocible para todos, resplandece con toda su claridad y grandeza en Jesucristo, en el mensaje de su vida y en sus enseñanzas. Sólo en Él —ésta es la convicción de la fe cristiana— experimenta el hombre la plena verdad sobre sí mismo [8].

La nueva evangelización

La nueva evangelización no consiste en un «nuevo Evangelio» que provendría siempre de nosotros mismos, de nuestra cultura, de nuestro análisis de las necesidades del hombre. Porque esto no sería «evangelio», sino pura invención humana y no habría salvación en él. No se trata de quitar del Evangelio todo lo que parece difícilmente asimilable por la mentalidad actual. No es la cultura la medida del Evangelio, sino que es Jesucristo la medida de todas las culturas y de todas las acciones humanas. No, la nueva evangelización no nace del deseo de «agradar a los hombres» o de «conseguir su favor» (cfr. *Gal* 1, 10), sino de la responsabilidad hacia el don que Dios nos ha dado en Cristo, en el cual tenemos acceso a la verdad sobre Dios y sobre el hombre, y a la posibilidad de la vida auténtica.

La nueva evangelización tiene, como punto de partida, la certeza de que en Cristo hay una «inescrutable riqueza» (cfr. *Ef* 3, 8) que ninguna cultura ni época alguna pueden agotar y a la que siempre podemos recurrir nosotros los hombres para enriquecernos (cfr. *Asamblea Especial del Sínodo de Obispos para Europa,* Declaración conclusiva, 3). Esta riqueza es, antes de todo, Jesucristo mismo, su persona, porque Él es nuestra salvación. Nosotros los hombres, de cualquier época y cultura, podemos, acercándonos a Él mediante la fe y la incorporación a su Cuerpo que es la Iglesia, encontrar respuesta a estas preguntas, siempre antiguas y siempre nuevas, con las que afrontamos el misterio de nuestra existencia y que llevamos indeleblemente impresas en nuestro corazón desde la creación y la herida del pecado.

Una evangelización nueva presupone, en su ardor, una fe sólida, una intensa caridad pastoral y una gran fidelidad que, bajo la acción del Espíritu, generen una mística, un incontenible entusiasmo en el mandato de anunciar el Evangelio. En el lenguaje neotestamentario es la «parresìa» que inflama el corazón del apóstol (cfr. *Hch* 5, 282-9; *Redemptoris Missio,* 45) [9].

Los derechos de los pueblos y de las minorías

En la base de la obligación universal de comprender y respetar la diversidad y la riqueza de los otros pueblos y de las otras sociedades, culturas y religiones, se encuentran dos principios fundamentales. Primero: la inalienable dignidad de todas las personas humanas (independientemente de sus orígenes raciales, étnicos, culturales o nacionales o del credo religioso), significa que cuando las personas se unen en grupos, tienen el derecho de disfrutar de una identidad colectiva. Después, las minorías dentro de un país tienen el derecho de existir con la lengua propia, la cultura propia y las tradiciones propias, y el Estado está moralmente obligado a dejar espacio a su identidad y autoexpresión. En segundo lugar, la unidad fundamental de la raza humana, que trae sus orígenes del Dios

Creador de todo, exige que ningún grupo se considere superior a otro. Exige, de la misma manera, que la integración se construya sobre una solidaridad efectiva y sobre la libertad de las discriminaciones. En consecuencia, el Estado tiene el deber de respetar y defender las diferencias que existen entre sus ciudadanos y de permitir que su diversidad sirva al bien común. La experiencia demuestra que la paz y la seguridad interna sólo pueden estar garantizadas con el respeto de los derechos de todos los que están confiados a la responsabilidad del Estado.

En tal perspectiva, la libertad de los individuos y de las comunidades de profesar y practicar su religión es un elemento esencial para la coexistencia pacífica humana. La libertad de conciencia, de buscar la verdad y de obrar según la propia fe religiosa son tan fundamentalmente humanas que toda tentativa de limitarlas lleva, casi inevitablemente, a ásperos conflictos.

Desde el momento de la formación de los Estados-naciones, la existencia de minorías sobre el mismo territorio ha representado siempre un desafío positivo y una oportunidad para un desarrollo social más rico. En una época de creciente conocimiento de la importancia del respeto por los derechos humanos como base para un mundo justo y pacífico, la cuestión del respeto debido a las minorías debe afrontarse seriamente, sobre todo por parte de las autoridades políticas y religiosas.

En el curso del presente siglo, la experiencia, sumamente negativa, en relación con el tratamiento de las minorías, sobre todo en Europa, pero también en otro lugar, han llevado a la comunidad internacional a reaccionar fuertemente y a asegurar los derechos de tales grupos en los acuerdos internacionales. La traducción de este intento en la ley y en el comportamiento de cada nación es la medida de la madurez de aquel país y la garantía de su capacidad de promover la convivencia pacífica dentro de sus confines y de contribuir a la paz del mundo.

Garantizar la participación de las minorías en la vida política es signo de una sociedad moralmente madura y hace honor a todas las naciones en las que todos los ciudadanos son libres de participar en la vida nacional en un clima de justicia y de paz [10].

La libertad religiosa es un derecho que todos poseen porque deriva de la inalienable dignidad de cada ser humano, y existe con independencia de las estructuras políticas y sociales y, como se ha asegurado en varios documentos internacionales, el Estado está obligado a defender esta libertad de ataques o interferencias. Donde hay discriminación en la comparación de los ciudadanos tomando como base sus convicciones religiosas, se comete una injusticia fundamental contra el hombre y contra Dios, y el camino que conduce a la paz se llena de obstáculos [11].

La pobreza moral de los pueblos

La acogida dispensada al Catecismo de la Iglesia Católica manifiesta por sí sola la necesidad de «referencias» que se advierte en nuestros contemporáneos. Reflejo de las corrientes de opinión y de las modas, los medios de comunicación social ponen en circulación a menudo mensajes complacientes que excusan todo y desembocan en un permisivismo sin límites. De este modo, la dignidad y la estabilidad de la familia son ignoradas o alteradas. Igualmente, muchos jóvenes llegan a considerar casi todo objetivamente indiferente: la única referencia es la que conviene para el bienestar del individuo y, a menudo, el fin justifica los medios. Ahora bien, es fácil constatarlo: una sociedad sin valores llega rápidamente a ser «hostil» para el hombre, que llega a ser víctima del provecho personal, de un ejercicio brutal de la autoridad, del fraude y del crimen. Demasiados pueblos tiene hoy la amarga experiencia, y sé que los hombres de Estado son conscientes de estos graves problemas que deben afrontar diariamente.

A veces se tiene la impresión de una voluntad, por parte de algunos, de relegar la religión a la esfera de lo privado, con el pretexto de que las convicciones y las normas de comportamiento de los creyentes serían sinónimo de regresión o de atentado a la libertad. La Iglesia Católica, presente en todas las naciones de la tierra, y la Santa Sede, miembro de la comunidad internacional, no desean en absoluto imponer juicios o preceptos, sino sólo ofrecer el testimonio de su concepción del hombre y de la historia, que saben que proviene de una revelación divina. La sociedad no puede prescindir de esta aportación original sin empobrecerse y lesionar el derecho de pensamiento y de expresión de gran parte de los ciudadanos.

Si el Evangelio de Jesucristo no ofrece respuestas preestablecidas a los múltiples problemas sociales y económicos que afligen al hombre contemporáneo, manifiesta, sin embargo, lo que es importante según Dios y, por lo tanto, para el destino del hombre. Es lo que los cristianos proponen a cuantos desean escuchar su voz. A pesar de las dificultades, la Iglesia Católica continuará ofreciendo, por su parte, su colaboración desinteresada para que el hombre de este final de siglo sea especialmente iluminado y sepa librarse de los ídolos del momento. Los cristianos tienen la única ambición de testimoniar que comprenden la historia personal y colectiva en función del encuentro de Dios con los hombres, del cual la Navidad es la manifestación más luminosa [12].

Normas para una política justa y constructiva

Varsovia, Moscú, Budapest, Berlín, Praga, Sofía, Bucarest, por citar sólo las capitales, se han convertido, prácticamente, en etapas de una larga peregrinación hacia la libertad. Debemos rendir homenaje a los pueblos que, al precio de sacrificios inmensos, han emprendido con bravura esta peregrinación y a los responsables políticos que la han favorecido. Lo más admirable de los acontecimientos de los que hemos sido testigos es que pueblos enteros han tomado la palabra: mujeres, jóvenes y hombres han vencido el miedo. La persona humana ha manifestado los recursos inagotables de dignidad, de coraje y de libertad que custodiaba. En países en los que durante años un partido ha dictado la verdad en la que había que creer y el sentido que había que dar a la historia, estos hermanos han demostrado que no es posible sofocar las libertades fundamentales que dan sentido a la vida del hombre: la libertad de pensamiento, de conciencia, de religión, de expresión, de pluralismo político y cultural.

Es necesario que estas aspiraciones, expresadas por los pueblos, sean satisfechas por el Estado de derecho de cada nación europea. La neutralidad ideológica, la dignidad de la persona humana, fuente de derechos, la prioridad de la persona con respecto a la sociedad, el respeto de las normas jurídicas democráticamente consentidas, el pluralismo en las organizaciones de la sociedad, son valores insustituibles sin los cuales no es posible construir de forma duradera una casa común al este y al oeste, accesible a todos y abierta al mundo. No puede existir una sociedad digna del hombre sin el respeto de los valores trascendentes y permanentes. Cuando el hombre hace de sí la medida exclusiva de todo, sin referirse a Aquél de quien viene todo y a quien retorna este mundo, se vuelve esclavo de su finitud. El creyente, en cambio, sabe por experiencia que el hombre es verdaderamente hombre sólo si se reconoce en Dios y acepta colaborar en el plan de salvación. *«Reunir a todos los hijos de Dios que estaban dispersos»* (*Jn* 11, 52).

Querer resolver los problemas de la sociedad mediante la violencia es una pura y simple ilusión, una ilusión suicida.

La incredulidad y la secularización plantean desafíos que deben ser aceptados por todos los creyentes, llamados a testimoniar juntos el primado de Dios sobre todas las cosas. Por esto, más allá de la libertad religiosa que el Estado debe garantizar, es esencial que exista un mejor conocimiento y una mayor colaboración entre las religiones [13].

Religión y política

Los laicos cristianos, precisamente en este decisivo momento histórico, no pueden sustraerse a su responsabilidad. Deben, más bien, testimoniar con valentía su confianza en Dios, Señor de la historia, mediante una presencia unida y coherente y un servicio honesto y desinteresado en el campo social y político, siempre abiertos a una sincera colaboración con todas las fuerzas sanas de su nación.

El amor por su nación y la solidaridad con toda la humanidad no contradicen el vínculo del hombre con la región y con la comunidad local en que ha nacido y las obligaciones que tiene hacia ellas. La solidaridad pasa, más bien, a través de todas las comunidades en las que vive el hombre: la familia, en primer lugar, la comunidad local y regional, la nación, el continente, la humanidad entera.

«Sin mí no podéis hacer nada» (*Jn* 15, 5). La palabra de Jesús contiene la más convincente invitación a la oración y, conjuntamente, el mayor motivo de confianza en la presencia del Salvador en medio de nosotros. Precisamente, esta presencia es fuente inagotable de esperanza y de valor también en las situaciones confusas y fatigosas de la historia de cada uno y de los pueblos [14].

«Dad al César lo que es del César y a Dios lo que es de Dios» (*Mt* 22, 21). Con su respuesta, Jesús indica una línea de comportamiento válida no sólo para la situación histórica del momento, sino tam-

bién para nuestro tiempo y para todas las épocas. Él afirma que el mundo de la religión y el de la política son distintos entre ellos, cada uno con fines propios y cada uno con el poder de vincular, por su parte, la conciencia de las personas. Religión y política deben permanecer en ambientes distintos. Pero el hombre religioso y el ciudadano se unen en la misma persona, y cada persona debe conocer y cuidar tanto sus responsabilidades religiosas como las sociales, económicas y políticas. Esto es importante en todos los tiempos y ahora acaso es más importante aún [15].

Si el martirio representa el vértice del testimonio de la verdad moral, al que relativamente pocos pueden ser llamados, existe, sin embargo, un testimonio coherente que todos los cristianos deben estar dispuestos a dar cada día, incluso a costa de sufrimientos y de grandes sacrificios. En efecto, ante las múltiples dificultades que, también en las circunstancias más ordinarias, puede exigir la fidelidad al orden moral, el cristiano (con la gracia de Dios invocada en la oración) está llamado a un compromiso a veces heroico, sostenido por la virtud de la fortaleza [...] [16].

Llamamiento a Europa, unida y cristiana

Yo, obispo de Roma y pastor de la Iglesia universal, desde Santiago te grito con amor, antigua Europa: Encuéntrate a ti misma. Sé tú misma. Descubre tus orígenes. Reaviva tus raíces. Vuelve a vivir de los valores auténticos que han hecho gloriosa tu historia, y beneficia tu presencia en los demás continentes. Reconoce tu unidad espiritual en un clima de pleno respeto hacia las otras religiones y la genuina libertad. Da al César lo que es del César y a Dios lo que es de Dios. No te enorgullezcas de tus conquistas hasta el punto de olvidar sus posibles consecuencias negativas. No te deprimas por la pérdida cuantitativa de tu grandeza en el mundo o por las crisis sociales y culturales que te atraviesan. Tú aún puedes ser luz de civilización y estímulo de progreso para el mundo.

Si Europa abre de nuevo las puertas a Cristo y no tiene miedo de abrir a su poder salvador los confines de los Estados, los sistemas económicos y también los políticos, los vastos campos de la cultura, de la civilización, del desarrollo, su futuro no estará dominado por la incertidumbre y el temor, sino que se abrirá a una nueva estación de vida, tanto interior como exterior, pero benéfica y determinante para el mundo entero, siempre amenazado por las nubes de la guerra y por el posible huracán del holocausto atómico [17].

Enunciaré tres campos en los que me parece que la Europa unida de mañana, abierta hacia el Este del continente, generosa hacia el otro hemisferio, debería volver a tomar un papel de faro de la civilización mundial:

– ante todo, reconciliar al hombre con la creación, velando por la preservación de la integridad de la naturaleza, de su fauna y de su flora, de su aire y de sus ríos, de sus sutiles equilibrios, de sus recursos limitados, de su belleza que alaba la gloria del Creador;

– después, reconciliar al hombre con sus semejantes, aceptándose los unos a los otros cual europeos de distintas tradiciones culturales o corrientes de pensamiento, acogiendo a los extranjeros y a los refugiados, abriéndose a las riquezas espirituales de los pueblos de los demás continentes;

– finalmente, reconciliar al hombre consigo mismo: sí, trabajar por la reconstrucción de una visión integral y completa del hombre y del mundo, contra las culturas de la sospecha y de la deshumanización, una visión en la que la ciencia, la capacidad técnica y el arte no excluyen a Dios, sino que suscitan la fe en Él [18].

En esta Europa, que aspira a su unidad, existen muchas inquietudes. Hay muchas amenazas y tensiones, actuales y potenciales, que avanzan en sentido contrario al que quiere Cristo. La Iglesia, ¿conseguirá hacerse promotora de la paz verdadera? ¿Conseguirá merecerse la felicidad destinada a los «constructores de la paz»? ¿Estará en condiciones de transmitir la reconciliación, con la que Dios ha reconciliado al mundo con Él mismo, en las dimensiones interhumanas e internacionales? Ésta es una pregunta clave para el futuro de Europa y del mundo. Una pregunta fundamental también para la misión de la Iglesia [19].

Llamamiento a África

A los ojos del observador atento, África entera está sufriendo transformaciones sorprendentes. Por doquier existen problemas inmensos aún por afrontar. Una historia tempestuosa ha dejado una herencia de subdesarrollo, rivalidades y conflictos étnicos. La pobreza endémica ha producido innumerables carencias materiales y culturales. Los esfuerzos a favor del progreso y del desarrollo no han coincidido siempre con los mejores intereses de las poblaciones, y en muchos casos las políticas del pasado han dejado el peso de una enorme deuda internacional. Pero también están soplando nuevos vientos. Muchas personas de este continente se dan cuenta ahora de que deben encontrarse soluciones africanas a los problemas africanos, que los individuos, las familias y los grupos deben ser situados en condiciones de contribuir a su propio desarrollo, y que la sociedad, por consiguiente, debe hacerse más democrática, más respetuosa de las legítimas diferencias, más estable en el ordenamiento jurídico, reflejando los derechos humanos universalmente reconocidos. Los vientos de cambio exigen renovadas estructuras de organización económica y política, estructuras que respeten verdaderamente la dignidad humana y los derechos humanos [20].

No, África no podría aceptar nunca un nuevo colonialismo. Sus naciones son independientes y deben permanecer así. Lo que no significa que la ayuda de otros miembros de la familia de las naciones no sea necesaria y deseable. Al contrario, la ayuda es necesaria ahora más que nunca. Pero para ser verdaderamente eficaz, no debe reflejar una relación de sumisión, sino de interdependencia [21].

Notas

1. Colonia. Homilía, 15 de noviembre de 1980.
2. Colonia. Discurso a los científicos y estudiantes, 5 de noviembre de 1980.
3. Fulda. Discurso al episcopado alemán, 17 de noviembre de 1980.
4. Filadelfia. Discurso a los seminaristas, 3 de octubre de 1979.
5. Cracovia. Discurso a los universitarios, 8 de junio de 1979.
6. Dublín. Homilía, 29 de septiembre de 1979.
7. Boston. Homilía, 1 de octubre de 1979.
8. Bonn. Encuentro con las autoridades públicas, 15 de noviembre de 1980.
9. Santo Domingo. Discurso a la IV Conferencia General del Episcopado Latino-Americano, 12 de octubre de 1992.
10. Jartum, Sudán. Discurso al presidente Omar Hassan Ahmed el Bashir, 10 de febrero de 1993.
11. Jartum, Sudán. Homilía, 10 de febrero de 1993.
12. Discurso al Cuerpo Diplomático, 16 de enero de 1993.
13. Discurso al Cuerpo Diplomático, 13 de enero de 1990.
14. Carta a los obispos italianos, 6 de enero de 1994.
15. Audiencia general, 17 de octubre de 1993.
16. Carta Encíclica *Veritatis Splendor*, n. 93.
17. Santiago de Compostela. Acto Europeísta, 9 de noviembre de 1982.
18. Estrasburgo, 11 de octubre de 1988.
19. Asamblea especial para Europa del Sínodo de Obispos. Conclusión, 14 de diciembre de 1991.
20. Jartum, Sudán. Discurso en el aeropuerto, 10 de febrero de 1993.
21. Kampala, Uganda. Discurso al Cuerpo Diplomático, 8 de febrero de 1993.

IX. PAZ

«Los conflictos que surgen en torno a nosotros, las privaciones, las dificultades que afligen y atormentan a tantos seres humanos de una parte a otra del mundo, son un desafío para todos los que se profesan seguidores de Cristo.»

La paz, fruto del amor

También la paz es fruto del amor: esa paz interior que el hombre cansado busca en lo íntimo de su ser; esa paz que piden la humanidad, la familia humana, los pueblos, las naciones, los continentes, con una ansiosa esperanza de obtenerla en la perspectiva del tránsito del segundo al tercer milenio cristiano. Ya que el camino de la paz pasa en definitiva a través del amor y tiende a crear la civilización del amor, la Iglesia fija su mirada en aquél que es el amor del Padre y del Hijo y, a pesar de las crecientes amenazas, no deja de tener confianza, no deja de invocar y de servir a la paz del hombre sobre la tierra. Su confianza se funda en aquél que siendo Espíritu-amor, es también el Espíritu de la paz y no deja de estar presente en nuestro mundo humano, en el horizonte de las conciencias y de los corazones, para «colmar el universo» de amor y de paz (n. 67) [1].

El compromiso por la paz

La violencia se arraiga en la mentira y tiene necesidad de la mentira... La primera mentira, la falsedad fundamental, es la de no creer en el hombre, en el hombre en todo su potencial de grandeza, pero también en la necesidad de redención del mal y del pecado que hay en él.

Promover la verdad, como fuerza de la paz, significa emprender un esfuerzo constante para no utilizar nosotros mismos, aunque fuera con buen fin, las armas de la mentira.

El hombre de paz sabe reconocer bien la parte de verdad que

hay en cada obra humana y, más aún, las posibilidades de verdad que se encuentran en lo íntimo de cada hombre [2].

Cada hombre, creyente o no, aun manteniéndose prudente y lúcido con respecto a la posible terquedad de su hermano, puede y debe conservar una suficiente confianza en el hombre, en su capacidad de ser razonable, en su sentido del bien, de la justicia, de la equidad, en su posibilidad de amor fraterno y de esperanza, nunca pervertidos del todo, para apostar por el recurso al diálogo [...] sin renunciar por vileza o por obligación a lo que sabe que es verdadero y justo, lo que desembocaría en un compromiso débil [3].

¡No hay paz si los derechos de todos los pueblos —y, en particular, de aquellos más vulnerables— no se respetan! Todo el edificio del derecho internacional se apoya sobre el principio del firme respeto de los Estados, del derecho a la autodeterminación de cada pueblo y de la libre cooperación en consideración del bien común superior de la humanidad (n. 8).

La vida pública, en efecto, no puede prescindir de criterios éticos. La paz se propaga en primer lugar por el terreno de los valores humanos, experimentados y transmitidos por los ciudadanos y por los pueblos. Cuando se deshilacha el tejido moral de una nación, debe temerse todo.

La vigilante memoria del pasado debería hacer que nuestros contemporáneos estuvieran atentos a los abusos, siempre posibles, en el ejercicio de la libertad, que las generaciones de esta época han conquistado a costa de muchos sacrificios. El frágil equilibrio de la paz podría verse comprometido cuando en las conciencias se avivan males como el odio racial, el desprecio por el extranjero, la segregación del enfermo o del anciano, la marginación del pobre, el recurso a la violencia privada o colectiva (n. 11) [4].

Historia humana y anhelo de la paz

Nunca antes, en la historia del género humano, se ha hablado tanto de paz e invocado con tanto ardor la paz como en nuestros días. La creciente independencia de los pueblos y de las naciones hace suscribir casi a todo el mundo —al menos en la línea de principio— el ideal de fraternidad humana universal. Las grandes instituciones internacionales debaten la coexistencia pacífica de la humanidad. La opinión pública está siempre tomando conciencia de lo absurdo de la guerra como medio para resolver las discriminaciones. La paz se ve cada vez más como condición necesaria para las relaciones fraternas entre las naciones y entre los pueblos. La paz se ve cada vez más claramente como la única vía de la justicia; la paz es, de por sí, obra de la justicia. Pero todavía, repetidamente, se constata cómo se mina y destruye la paz. ¿Por qué entonces nuestras convicciones no están siempre en armonía con nuestro comportamiento y nuestras actitudes? ¿Y cómo es que no siempre estamos en condiciones de desterrar todos los conflictos de nuestra vida?

La paz es el resultado de muchas actitudes y realidades convergentes: es el producto de hechos morales, de principios éticos basados en el mensaje del Evangelio por ellos reforzado [5].

El hombre vive a la vez en el mundo de los valores materiales y en el de los valores espirituales. Para el hombre concreto que vive y espera, las necesidades, la libertad y las relaciones con los otros no corresponden nunca solamente a una u otra esfera de valores, sino que pertenecen a ambas esferas. Es lícito considerar por separado los bienes materiales y los bienes espirituales; pero, sin embargo, hay que comprender que en el hombre concreto son inseparables y, además, que cada amenaza a los derechos humanos, tanto en el ámbito de los bienes materiales como en el de los bienes espirituales, es igualmente peligrosa para la paz, porque considera siempre al hombre en su integridad.

Un análisis crítico de nuestra civilización contemporánea pone en claro que ésta, sobre todo durante el último siglo, ha contribuido, como nunca antes, al desarrollo de los bienes materiales, pero ha generado también, en teoría y aún más en la práctica, una serie de actitudes en las que, en una medida más o menos relevante, ha disminuido la sensibilidad por la dimensión espiritual de la existencia humana, a causa de ciertas premisas por las que el sentido de la vida humana ha sido remitido en superioridad a los múltiples condicionamientos materiales y económicos, es decir, a las exigencias de la producción, del mercado, del consumo, de las acumulaciones de riquezas, o de la burocratización con que se busca regular los correspondientes procesos. ¿Y no es esto fruto también de haber subordinado al hombre a una sola concepción y esfera de valores?

¿Qué vínculo tiene esta consideración nuestra con la causa de la paz y de la guerra? Dado que los bienes materiales, por su misma naturaleza, son origen de condicionamientos y de divisiones, la lucha por conquistarlos se vuelve inevitable en la historia del hombre. Manteniendo esta subordinación unilateral humana a los solos bienes materiales no seremos capaces de *superar tal estado de necesidad.* Podremos atenuarlo, conjurarlo en el caso particular, pero no acabaremos de eliminarlo de manera sistemática y radical si no resaltamos y honramos más ampliamente, a los ojos de todos los hombres, a la perspectiva de toda la sociedad, la «segunda dimensión de los bienes»: la dimensión que no divide a los hombres sino que los hace comunicarse entre ellos, los asocia y los une [6].

La paz verdadera, fundada en la verdad y en la caridad

Cristo, que es la paz, la verdadera paz, ¿qué otra herencia habría podido dejarnos sino esta misma paz?

Hemos escuchado sus palabras, relatadas en la página evangélica. Son palabras que conocemos bien. Que en esta vigilia de oración resuenen con más fuerza en nuestros corazones, suscitando una respuesta más convencida y más generosa.

«Os dejo la paz, os doy mi propia paz. Una paz que el mundo no os puede dar» (*Jn* 14, 27). Si miramos a nuestro alrededor, en el recogimiento de esta noche de Asís, ¿qué es lo que vemos? ¿El Señor Jesús de verdad ha dejado la paz? ¿Cómo es que ahora hay tanta violencia en torno a nosotros? ¿Qué hemos hecho del don del Señor, de su preciosa herencia? ¿No será que hemos preferido una paz «como la del mundo»? ¿Una paz que consiste en el silencio de los oprimidos, en la impotencia de los vencidos, en la humillación de cuantos —hombres y pueblos— ven pisoteados sus derechos?

La paz verdadera, la que Jesús nos ha dejado, se funda en la justicia, florece en el amor y en la reconciliación. Es fruto del Espíritu Santo *«que no puede recibir el mundo»* (*Jn* 14, 17). ¿No enseña, acaso, el apóstol, que *«los frutos del Espíritu son: amor, alegría, paz...?»* (*Gal* 5, 22). *«No hay paz para los malvados», dice mi Dios»*, nos ha recordado el profeta Isaías (*Is* 57, 21) [7].

El mundo tiene necesidad de paz, de concordia, decomprensión recíproca. El divino Maestro ha dejado a la Iglesia y a los hombres de todas las épocas el testamento perpetuo del amor: *«¡Amaos los unos a los otros, como yo os he amado!»* Un sentimiento de gran tristeza invade el alma al pensar en la bondad infinita de Dios y en la indiferencia humana, en el odio, en las guerras que empañan sobre la tierra el proyecto de la divina providencia. Vosotros, con vuestra oración y con el testimonio de la bondad, podéis ofrecer una aportación diaria a la causa de la pacificación de los corazones y a la instauración de la paz entre los hombres [8].

Cristo es nuestra paz. Cuando nos alejamos de Él —en nuestra vida privada, en las estructuras de la vida social, en las relaciones entre las personas y los pueblos—, ¿qué es lo que queda, sino el odio, la enemistad, el conflicto, la crueldad, la guerra?

Debemos rezar para que su «sangre» nos haga «vecinos», es decir, próximos los unos a los otros, ya que por nosotros mismos sólo sabemos hacernos «lejanos» (cfr. *Ef* 2, 13); sólo sabemos volvernos la espalda recíprocamente. «Dejémonos, pues, reconciliar con Dios» (cfr. *2 Cor* 5, 20), para podernos reconciliar entre nosotros.

Los conflictos que surgen a nuestro alrededor, el hambre, las privaciones, las penurias que afligen y atormentan a tantos seres humanos de una parte a otra del mundo, son un desafío pera todos los que se profesan seguidores de Cristo. ¿Tantas desdichas no son acaso el reflejo de aquella lucha que opone el mal al bien, que contrapone, a una sociedad basada en el egoísmo y la codicia, la civilización del amor? Cristo nos llama a no dejarnos vencer por el mal, sino a vencer con el bien al mal (cfr. *Rm* 12, 21), a construir una civilización en la que reine el amor, y que ponga en primer plano el respeto del «otro» [9].

Paz y fe cristiana

Los centros verdaderos de la historia del mundo y de la salvación no son las laboriosas y activas capitales de la política y de la economía, del dinero y del poder terreno. Los soportes auténticos de la historia se vuelven a buscar en los lugares silenciosos de oración de los hombres. Aquí se hallan, de manera particularmente plena, el encuentro del mundo terreno con el mundo ultraterreno, de la Iglesia peregrina en la tierra con la Iglesia eterna y victoriosa del cielo. Aquí acontece algo más grande y más decisivo para la vida y la muerte que no en las grandes capitales, donde se está convencido de tener el pulso de los tiempos y de manejar el timón de la historia del mundo.

Para dar al mundo la paz que la humanidad anhela no bastan

las conferencias de los hombres políticos; no bastan los acuerdos, las políticas de distensión que persiguen los hombres, por muy importante y necesarias que puedan ser. El mundo, fatigado de discordias, tiene necesidad, antes de todo, de la paz de Cristo. Y ésta es más que la paz política pura y simple. La paz de Cristo puede afirmarse sólo donde los hombres estén dispuestos a separarse del pecado. La causa más profunda de todas las discordias del mundo es el abandono de Dios por parte de los hombres. El que no vive en paz con Dios sólo difícilmente vive en paz con el prójimo [10].

Prescindir de Dios cuando se desea consolidar los valores de la convivencia y de la concordia significa impedir toda posibilidad de éxito. Querer instaurar la tranquilidad social de manera casi mecánica, sin resolver primero el problema de los valores sobre los que se basa, conduce al fracaso. Hablar de paz con un lenguaje simplemente terreno, que no tiene en cuenta las relaciones del hombre con su Creador, resulta insuficiente y frágil [11].

La cuestión del desarme

Como discípulos de Cristo, estamos llamados, de manera particular, a ser pacificadores: superación de las injusticias, renuncia al uso de la violencia, disponibilidad para la comprensión y también para el perdón recíproco. Cada uno puede dar así una aportación decisiva y enteramente personal a la paz entre los hombres. Comprometeos por el entendimiento de los pueblos a nivel internacional, por una progresiva eliminación de las armas de aniquilamiento y por esfuerzos conjuntos de todos los pueblos en favor de la paz y de la justicia en el mundo.

Examinad en la concreta cotidianidad lo que se presenta como «progreso». Se impone una especial vigilancia si queremos defender con eficacia nuestra tierra y nuestra vida sobre ella en el futuro. En efecto, en el problema del ambiente y de la protección de las radiaciones, por citar un ejemplo, no se trata ya sólo del tiempo de vida de los hombres de hoy, sino también del de las próximas generaciones. Debemos sacar consecuencias de los límites y de los peligros del crecimiento. No podemos permitirnos hacer todo lo que estamos en condiciones de hacer. Ascesis, autolimitación, renuncia: estas antiguas demandas de la Iglesia han llegado a ser de repente nuevamente actuales y modernas; mejor, tanto más vitales cuanto que buscan asegurar también mañana la supervivencia de la humanidad [12].

La cuestión ecológica

Si en otros tiempos el factor decisivo de la producción era la tierra y luego lo fue el capital, entendido como conjunto masivo de maquinaria y de bienes instrumentales, hoy día el factor decisivo es cada vez más el hombre mismo, es decir, su capacidad de conocimiento, que se pone de manifiesto mediante el saber científico, y su capacidad de organización solidaria, así como la de intuir y satisfacer la necesidad del otro (n. 32,4).

El hombre, impulsado por el deseo de tener y de gozar, más que de ser y de crecer, consume de manera excesiva y desordenada los recursos de la tierra y su misma vida. En la raíz de la insensata destrucción del ambiente natural hay un error antropológico, por desgracia muy difundido en nuestra época. El hombre, que descubre su capacidad de transformar y, en cierto sentido, de crear el mundo con su propio trabajo, olvida que éste se desarrolla siempre sobre la base de la primera y originaria donación de las cosas por parte de Dios (n. 37,1) [13].

La teología, la filosofía y la ciencia concuerdan en la visión de un universo armonioso, es decir, de un verdadero «cosmos», dotado de una integridad propia y de un equilibrio interno y dinámico. Este orden debe ser respetado: la humanidad está llamada a explorarlo, a descubrirlo con prudente cautela y a usarlo después salvaguardando su propia integridad.

Por otra parte, la tierra es, esencialmente, una herencia común, cuyos frutos deben estar a beneficio de todos. «Dios ha destinado la tierra y todo lo que contiene para uso de todos los hombres y pueblos», ha reafirmado el Concilio Vaticano II (*Gaudium et Spes,* 69). Esto tiene directas implicaciones para nuestro problema. Es injusto que pocos privilegiados continúen acumulando bienes superfluos y dilapidando los recursos disponibles cuando multitud de personas viven en condiciones de miseria, al nivel del sustento mínimo. Y es ahora la misma dimensión dramática del desarreglo ecológico la que nos enseña que la codicia y el egoísmo, individuales o colectivos, son contrarios al orden de lo creado, en el cual está inscrita también la mutua interdependencia.

La sociedad actual no encontrará soluciones al problema ecológico si no revisa seriamente su estilo de vida. En muchas partes del mundo ésta es propensa al hedonismo y al consumismo y permanece indiferente a los daños que de ahí se derivan. Como ya he observado, la gravedad de la situación ecológica revela lo profunda que es la crisis moral del hombre. Si falta el sentido del valor de la persona y de la vida humana, deja de haber interés por los otros y por la tierra. La austeridad, la moderación, la autodisciplina y el espíritu de sacrificio deben informar la vida de hoy para que no exista la obligación, por parte de todos, de sufrir las consecuencias de la indiferencia de unos pocos.

Hay, pues, urgente necesidad de educar en la responsabilidad ecológica: responsabilidad hacia sí mismos, responsabilidad hacia los otros, responsabilidad hacia el ambiente. Es una educación que no puede estar basada simplemente en el sentimiento o en una volubilidad indefinida. Su fin no puede ser ni ideológico ni político, y su planteamiento no puede apoyarse en el rechazo del mundo moderno o en el vago deseo de un retorno al «paraíso perdido». La verdadera educación en la responsabilidad comporta una auténtica conversión en la manera de pensar y en la conducta [14].

La pobreza material de tantos pueblos

La tierra nunca ha producido tanto y no ha habido nunca igualmente tantos hambrientos. Los frutos del crecimiento continúan repartiéndose sin equidad. A esto se añade la creciente diferencia entre el Norte y el Sur. Como sabéis, he querido llamar la atención de los hombres de buena voluntad sobre este problema con mi mensaje para el Día Mundial de la Paz, el primero de enero, y allí escribí: «Amenaza engañosa, pero real, para la paz es, pues, la miseria, que, al corroer la dignidad del hombre, constituye un serio atentado contra el valor de la vida y golpea en el corazón al desarrollo pacífico de la sociedad» (n. 3).

Ante la creciente pobreza que hace que los pobres sean más numerosos y siempre más pobres, ante marginaciones como el desempleo, que golpea dolorosamente a las jóvenes generaciones, la falta de cultura, el racismo, la disgregación de la familia o la enfermedad, los responsables políticos son los primeros en ser interpelados. El mundo posee en la actualidad las posibilidades técnicas y estructurales para mejorar las condiciones de vida. Cada uno debería tener, hoy más que ayer, la oportunidad de participar dignamente y de manera equitativa en el banquete de la vida. La distribución de los bienes de la tierra, el reparto justo de los beneficios, una sana reacción ante los excesos del consumo y la salvaguardia del ambiente humano, son otros tantos deberes prioritarios que se imponen a los poderes públicos.

Asociar a los ciudadanos a los proyectos de la sociedad, darles confianza en quienes los gobiernan y en la nación de la que son miembros: éstas son las bases en las que se funda la vida armoniosa de las comunidades humanas. Muy a menudo, fenómenos como las protestas populares o el clima de sospecha del que se hacen eco los medios de comunicación social no son más que manifestaciones de insatisfacción y de impotencia ante necesidades fundamentales que son desatendidas: no ver garantizados los derechos legítimos propios, no sentirse considerados como copartícipes del proyecto político y social, no entrever un principio de solución a las dificultades que perduran desde años. En el fondo, todos los problemas de justicia tienen como causa principal el hecho de que a la persona no se la respeta lo suficiente, ni se la toma en consideración, ni se la ama por lo que es. Es preciso instruir o enseñar de nuevo a los hombres a que se miren, a que se escuchen, a que caminen juntos. Esto presupone, evidentemente, que todos tengan en común un mínimo de valores humanos cuyo reconocimiento está en condiciones de motivar opciones convergentes [15].

Cultura de la muerte y cultura de la vida

El siglo XX será considerado como una época de ataques masivos contra la vida, una serie interminable de guerras y una destrucción permanente de vidas humanas inocentes. Los falsos profetas y los falsos maestros han conocido el mayor éxito posible.

El aborto y la eutanasia —verdadero homicidio de un auténtico ser humano— son reivindicados como derechos y soluciones a problemas: problemas individuales o problemas de la sociedad. Una verdadera matanza de los inocentes [16].

Droga, abuso de sustancias alcohólicas, pornografía y desorden sexual, violencia: son algunos problemas graves que requieren una seria respuesta de la sociedad entera, en todos los países y a nivel internacional. Pero también son tragedias personales que hay que afrontar con actos interpersonales concretos de amor y solidaridad, gracias a una gran renovación de la propia responsabilidad personal ante Dios, ante los demás y ante nuestra misma conciencia. Somos guardianes de nuestros hermanos [17].

La cultura de la vida significa respeto por la naturaleza y cuidado de la obra de la creación divina. En particular, significa respeto por la vida humana desde el primer momento de la concepción hasta su conclusión natural.

Una cultura de la vida significa servicio hacia los que no gozan de privilegios, los pobres y los oprimidos, porque justicia y libertad son inseparables y sólo existen si existen para todos. La cultura de la vida significa dar gracias a Dios cada día por el don de la vida, por nuestro valor y por nuestra dignidad como seres humanos, por la amistad que Él nos ofrece mientras peregrinamos hacia nuestro destino eterno [18].

El fracaso de los valores

El bienestar de los niños y jóvenes del mundo debe ser de la máxima importancia para todos los que tienen responsabilidades públicas. En mis visitas pastorales a la Iglesia en todas las partes del mundo me ha conmovido profundamente la situación casi general de dificultad en la que los jóvenes crecen y viven. Soportan demasiados sufrimientos a causa de calamidades naturales, carestías, epidemias, crisis económicas y políticas y atrocidades de las guerras. Y donde las condiciones materiales son al menos adecuadas, surgen otros obstáculos, entre ellos el fracaso de los valores y de la estabilidad de la familia. En los países desarrollados, una seria crisis moral está afectando a la vida de muchos jóvenes, dejándolos a la deriva, a menudo sin esperanza, e impulsándo a buscar sólo la gratificación momentánea. Sin embargo, en todas partes hay muchachos y muchachas profundamente preocupados por el mundo que los rodea, dispuestos a dar lo mejor de sí mismos al servicio de los demás, y sensibles en particular al significado trascendente de la vida.

Pero ¿cómo les ayudamos? Sólo inculcando una elevada visión moral puede una sociedad garantizar que a sus jóvenes se les ofrezca la posibilidad de madurar como seres humanos libres e inteligentes, dotados de un gran sentido de responsabilidad para el bien común y capaces de trabajar con los demás para crear una comunidad y una nación con un fuerte temple moral [19].

La «injerencia humanitaria» para la defensa del hombre

La preeminencia del individuo está en la base de lo que se denomina el «derecho humanitario». Existen intereses que transcienden los Estados: son los intereses de la persona humana, sus derechos. Hoy como ayer, el hombre y sus necesidades son, desgraciadamente, amenazados todavía, a despecho de los textos más o menos vinculantes del derecho internacional, hasta el punto de que un nuevo concepto se ha impuesto en estos últimos meses: el de «injerencia humanitaria». Esta definición es muy elocuente en relación con el estado de precariedad del hombre y de la sociedad que éste ha constituido. He tenido, personalmente, la oportunidad de expresarme sobre este tema de la asistencia humanitaria con ocasión de mi visita a la sede de la Organización de las Naciones Unidas para la Alimentación y la Agricultura (FAO), el 5 de diciembre de 1992. Una vez que todas las posibilidades ofrecidas por las negociaciones diplomáticas, los procesos previstos por las convenciones y por las organizaciones internacionales se han puesto en marcha y que, a pesar de ello, las poblaciones están a punto de sucumbir bajo los ataques de un injusto agresor, los Estados ya no pueden hacer uso del «derecho a la indiferencia». Parece, en verdad, que su deber sea desarmar a tales agresores, si todos los demás medios se han revelado ineficaces. Los principios de la soberanía de los Estados y de la no injerencia en sus asuntos internos —que conservan todo su valor— no pueden constituir siempre un disfraz tras el cual se pueda torturar y asesinar.

Es de esto, en efecto, de lo que se trata. Ciertamente, los juristas deberán estudiar esta nueva realidad y definir sus contornos. Pero, como la Santa Sede se empeña en recordar a menudo en las instancias internacionales en las que participa, la organización de las sociedades sólo tiene sentido si hace de la dimensión humana su preocupación central, en un mundo hecho por el hombre y para el hombre [20].

El orden social para la paz

El orden social tiene como soporte al hombre, tomado en su inalienable dignidad de criatura diseñada a «imagen de Dios». Del valor del hombre procede el valor de la sociedad, y no al contrario.

Esta afirmación no debe ser interpretada, sin embargo, como si el individuo y la sociedad estuvieran en contraposición. Al contrario, el hombre es, estructuralmente, un ser relacional. Si su primera y fundamental relación es la que tiene con Dios, también es imprescindible y vital la relación del hombre con sus semejantes. Tal interdependencia objetiva se eleva a la dignidad de una vocación, que llega a ser llamada a la solidaridad y al amor, a imagen de las sublimes e inefables relaciones que, según la revelación cristiana, caracterizan la vida íntima del Dios Uno y Trino.

De esta visión del hombre nace una justa visión de la sociedad. Centrada en la racionalidad de la persona humana, no puede concebirse como una masa informe, que termina por ser absorbida por el Estado, sino reconocerse como un organismo articulado «que se realiza en diversos grupos intermedios, comenzando por la familia hasta los grupos económicos, sociales, políticos y culturales, los cuales, al provenir de la misma naturaleza humana, tienen —siempre dentro del bien común— su propia autonomía» (*Centesimus Annus,* 13).

Cuántas guerras han estallado y cuánta sangre se ha derramado en el nombre de ideologías concebidas teóricamente y no humanizadas lo suficiente por el contacto vivo con los hombres, con sus dramas y con sus necesidades reales. El pensamiento es el tesoro más grande, pero también el riesgo más grande de la humanidad. Se cultiva con un comportamiento que no dudo en definir «religioso»: la búsqueda de la verdad, en efecto, también cuando concierne a la realidad limitada del mundo y de la historia, remite siempre a un «más aún» que excede lo trascendente y es, pues, como el atrio de entrada al Misterio.

No hay duda de que estamos viviendo un recodo de nuestra época. Tenemos a nuestras espaldas tragedias sangrientas e inauditas, de las que, milagrosamente, hemos salido, pero sin haber alcanzado aquel mundo de paz que todos deseamos. Vivimos más bien un pasaje delicadísimo de la historia europea y mundial, turbada por absurdos conflictos, en una perspectiva planetaria marcada por mil contradicciones. Ninguno de nosotros está en condiciones de prever el futuro. Sin embargo, sabemos que el mundo será como nosotros queramos. A tal expresión común de responsabilidad queremos darle, nosotros los cristianos, la aportación de nuestra sólida esperanza, fundada en la certeza de que el hombre no está solo, porque «*tanto amó Dios al mundo que entregó a su Hijo único*» (*Jn* 3, 16). Es un Dios Padre y Amigo que, a pesar del silencio aparente, se ha hecho compañero de camino del hombre [21].

Paz y derechos de la persona humana

No se puede ignorar la experiencia histórica del mal y, para el hombre, del pecado, que sólo la revelación de la caída de los primeros padres (y de las que sucesivamente se han producido en las generaciones humanas) puede explicar. «En el curso de la historia —dice el Concilio— el uso de los bienes temporales ha sido desfigurado por graves defectos» (AA, 7). También hoy, no pocos, en vez de dominar los bienes según el diseño y la ordenación de Dios, como podrían permitirlo los progresos de la ciencia y de la técnica, por su excesiva confianza en sus nuevos poderes se hacen esclavos de ellos y consiguen también graves daños.

Es deber de la Iglesia ayudar a los hombres a orientar bien todo el orden temporal y a enderezarlo hacia Dios por medio de Cristo (cfr. ibíd.). La Iglesia se hace así sierva de los hombres y los laicos «participan en la misión de servir a la persona y a la sociedad» (CL, 36).

En este sentido, procede, ante todo, recordar que los laicos están llamados a contribuir a la promoción de la persona, hoy particularmente necesaria y urgente. Se trata de salvar —y, a menudo, restablecer— el valor central del ser humano que, precisamente por ser persona, no puede ser tratado nunca «como un objeto utilizable, un instrumento, una cosa» (ibíd., 37).

En cuanto a la dignidad personal, todos los hombres son iguales entre ellos: no se puede admitir ninguna discriminación, ni racial, ni sexual, ni económica, ni social, ni cultural, ni política, ni geográfica. En las diferencias que provienen de las condiciones del lugar y del tiempo en que cada uno nace y vive, es un deber de solidaridad proveer un activo apoyo humano y cristiano, que se traduce en formas concretas de justicia y de caridad, como enseñaba y recomendaba san Pablo a los Corintios: «*Tampoco se trata de que, para alimentar a otros, vosotros paséis estrecheces, sino de que, según un principio de igualdad, vuestra abundancia remedie en este momento su pobreza, para que un día su abundancia remedie vuestra pobreza. De este modo reinará la igualdad»* (2 Cor 8, 13-14) [22].

Notas

1. Carta Encíclica *Dominum et Vivificantem*, 18 de mayo de 1986.
2. Mensaje para el Día Mundial de la Paz, 1980.
3. Mensaje para el Día Mundial de la Paz, 1983.
4. Carta Apostólica por el 50 Aniversario del comienzo de la Segunda Guerra Mundial, 27 de agosto de 1989.
5. Drogheda, Irlanda. Homilía, 29 de septiembre de 1979.
6. Discurso a la ONU, 2 de octubre de 1979.
7. Asís. Vigilia de oración ecuménica, 9 de enero de 1993)
8. Asís. Encuentro con los niños minusválidos, 9 de enero de 1993.
9. Asís. Vigilia de oración por la paz en la Basílica Superior de San Francisco, 9 de enero de 1993.
10. Kevelaer, Alemania, 8 de mayo de 1987.
11. Punta Arenas, Chile, 4 de abril de 1987.
12. Kevelaer, Alemania, 8 de mayo de 1987.
13. *Centesimus Annus*, 1991.
14. Mensaje para el Día Mundial de la Paz, 1990.
15. Discurso al Cuerpo Diplomático, 16 de enero de 1993.
16. Denver. Día Mundial de la Juventud, 14 de agosto de 1993.
17. Denver. Día Mundial de la Juventud, 14 de agosto de 1993.
18. Denver. Día Mundial de la Juventud, 15 de agosto de 1993.
19. Denver. Discurso en el aeropuerto, 12 de agosto de 1993.
20. Discurso al Cuerpo Diplomático, 16 de enero de 1993.
21. Riga, 9 de septiembre de 1993.
22. Audiencia general, 13 de abril de 1994.

X. RELIGIONES

«Dios quiere la salvación de todos los hombres. De forma misteriosa, pero real, Él está presente en todos los hombres. La humanidad forma una sola familia, ya que todos los seres humanos han sido creados por Dios a su imagen. Todos tienen un destino común desde el momento en que son llamados a encontrar en Dios la plenitud de la vida.»

Ecumenismo: interpretación y significado

La Iglesia se ve a sí misma como «un sacramento, o signo, e instrumento de la íntima unión con Dios y de la unidad de todo el género humano». Y, por consiguiente, se ve a sí misma en relación con toda la gran familia humana, constantemente en crecimiento. Se ve a sí misma en las dimensiones universales. Se ve a sí misma en las vías del ecumenismo, es decir, de la unidad de todos los cristianos, por la cual Cristo mismo ha rezado, y que es de indiscutible urgencia en nuestro tiempo. Se ve a sí misma también en el diálogo con los seguidores de las religiones no cristianas y con todos los hombres de buena voluntad. Tal diálogo es un diálogo de salvación, que debe servir igualmente a la paz del mundo y a la justicia entre los hombres [1].

Las divisiones que todavía existen entre nosotros debilitan la vitalidad del Evangelio y se convierten en escándalo para el mundo, en particular cuando parecemos proclamar un *«reino dividido contra sí mismo»* (*Lc* 11, 17). La credibilidad del Evangelio se debilita por nuestras divisiones.

La unidad de los cristianos debe ser suplicada, naturalmente, como un don de Dios, y confiamos en el hecho de que será garantizada según el querer del Señor. Los cristianos nunca deben dejar de rezar y sacrificarse por la unidad. Son llamados, además, a sostener los esfuerzos para el diálogo teológico, el testimonio mutuo y la cooperación práctica realizada en sus respectivas comunidades.

La cooperación ecuménica, dada su importancia, no debe llegar a ser un fin por sí misma ya que podría oscurecer su finalidad real, que es la búsqueda de una unidad plenamente visible entre los cristianos separados [2].

Una de las verdades más grandes, de la cual nosotros somos

humildes guardianes, es la doctrina de la unidad de la Iglesia, aquella unidad que se ve oscurecida en el rostro humano de la Iglesia por todas las formas de pecado, pero que subsiste indestructible en la Iglesia Católica (cfr. *Lumen Gentium*, 8; *Unitatis Redintegratio*, 23). La conciencia del pecado nos llama sin cesar a la conversión. La voluntad de Cristo nos estimula a trabajar seria y constantemente por la unidad con todos nuestros hermanos cristianos, al saber que la unidad que buscamos es la de la fe perfecta, una unidad en la verdad y el amor. Debemos rezar y estudiar juntos, conociendo, sin embargo, que la intercomunión entre los cristianos divididos no es la respuesta a la llamada de Cristo a la perfecta unidad. Con la ayuda de Dios queremos continuar trabajando humildemente y con resolución para alejar las divisiones reales que todavía existen y restaurar así la plena unidad en la fe que es la condición para participar en la Eucaristía (cfr. *Alocución*, 4 de mayo de 1979). La consigna del Concilio Ecuménico nos corresponde a cada uno de nosotros; del mismo modo, el testamento de Pablo VI afirma acerca del ecumenismo: «Continúese la obra de acercamiento con los hermanos separados, con mucha comprensión, con mucha paciencia, con gran amor: pero sin desviarse de la verdadera doctrina católica» [3].

Diálogo y oración interreligiosa

Los contactos con las religiones de Asia, especialmente el hinduismo y el budismo, que son conocidas por su espíritu contemplativo, por sus métodos de meditación y por su ascetismo, pueden contribuir mucho a la inculturación del Evangelio en aquel continente. Un sabio intercambio entre católicos y seguidores de otras tradiciones puede ayudar a discernir los puntos de contacto en la vida espiritual y en la expresión de las creencias religiosas, sin ignorar las diferencias. Tal discernimiento es tanto más urgente en donde la gente ha perdido las raíces de su tradición y busca otras fuentes de apoyo y enriquecimiento espiritual. El crecimiento de los así llamados movimientos religiosos nuevos o alternativos es un signo de cuánto se ha propagado esta tendencia [4].

En todo mi pontificado, mi preocupación constante ha sido llevar a cabo esta doble misión de proclamación y de diálogo. En el transcurso de mis visitas pastorales por todo el mundo he tratado de animar y confirmar la fe de los católicos así como de otros cristianos. Al mismo tiempo, me he alegrado de encontrarme con los jefes de todas las religiones en la esperanza de promover una mayor comprensión y cooperación interreligiosa por el bien de la familia humana.

A la Comunidad Budista, que refleja numerosas tradiciones tanto asiáticas como americanas: quisiera, respetuosamente, manifestar mi aprecio por vuestro estilo de vida basado en la compasión, en la amorosa bondad y en el deseo de paz, de prosperidad y de armonía para todos los seres vivientes. Que todos nosotros podamos dar testimonio de tal compasión y amorosa bondad al promocionar el verdadero bien de la humanidad.

A la Comunidad Islámica: comparto vuestro credo, según el cual la humanidad debe su existencia a Dios Único y Misericordioso, que ha creado el cielo y la tierra. En un mundo en que se reniega de Dios y se le desobedece, en un mundo que experimenta tanto sufrimiento y tiene tanta necesidad de la misericordia divina, busquemos juntos ser valerosos portadores de esperanza.

A la Comunidad Hindú: comparto del todo vuestra preocupación por la paz interior y por la paz del mundo, que no se basa en consideraciones políticas puramente mecanicistas o materialistas sino en la autopurificación, en el altruismo, en el amor y la comprensión por todos. Que todas las mentes de todos los pueblos se impregnen de tal amor y comprensión.

A la Comunidad Judía: reitero la convicción del Concilio Vaticano II, según la cual la Iglesia: «no puede olvidar que ha recibido la revelación del Antiguo Testamento por medio de aquel pueblo con quien Dios, por su inefable misericordia, se dignó establecer la Antigua Alianza, ni que se nutre de la raíz del buen olivo, en el cual se han injertado las ramas del olivo silvestre que son los pueblos paganos» (cfr. *Rm* 11, 17-24) (*Nostra Aetate*, 4). Junto con vosotros, me opongo a cualquier forma de antisemitismo. Comprometámonos para que llegue el día en que todos los pueblos y naciones puedan vivir en la seguridad, en la armonía y en la paz.

Dios quiere la salvación de todos los hombres. De forma misteriosa, pero real, Él está presente en todos los hombres. La humanidad forma una sola familia, ya que todos los seres humanos han sido creados por Dios a su imagen. Todos tienen un destino común desde el momento en que son llamados a encontrar en Dios la plenitud de la vida. Hay, pues, entre los hombres, a pesar de las diferencias de credo, un misterio de unidad del cual son buenos conocedores los cristianos.

A fin de que se realice plenamente el misterio de unidad y de que vea la luz la «perfecta armonía del pensamiento» de la que habla san Pablo, los cristianos deben entrar con todos en el diálogo de salvación que Dios ofrece al mundo a lo largo de los siglos y que la Iglesia continúa, fiel a la iniciativa divina [5].

La Iglesia Católica es favorable al diálogo: diálogo con los cristianos de las otras Iglesias y comunidades eclesiales, diálogo con los creyentes de otras familias espirituales y diálogo, también, con aquéllos que no profesan religión alguna. La Iglesia desea instaurar relaciones positivas y constructivas con las personas y con los grupos humanos de diferente credo con vistas a un enriquecimiento recíproco.

Todo esto se ha hecho en la libertad. En efecto, los Evangelios subrayan que Jesús no ha obligado a nadie. Cristo ha dicho a los apóstoles: *«Si quieres, sígueme»*; a los enfermos: *«si quieres, puedes ser curado»*. Cada cual debe responder a la llamada de Dios, libremente y con plena responsabilidad. La Iglesia considera que la libertad religiosa es un derecho inalienable, un derecho que va acompañado del deber de buscar la verdad. En un clima de respeto por la libertad de cada uno es donde el diálogo interreligioso puede desarrollarse y dar sus frutos.

Este diálogo no se dirige tan sólo a los valores del pasado y del presente.

Mira también al porvenir. Lo que implica la colaboración de intentar «defender y promover unidos la justicia social, los valores morales, la paz y la libertad para todos los hombres» (*Nostra Aetate*, n. 3) [6].

Catolicismo y religiones históricas

Aun cuando la Iglesia reconoce de buena gana cuanto hay de verdadero y de santo en las tradiciones religiosas del budismo, del hinduismo y del islam —reflejos de aquella verdad que ilumina a todos los hombres—, eso no disminuye su deber y su determinación de proclamar sin titubeos a Jesucristo, que es *«el camino, la verdad y la vida»* (*Jn* 14, 6; cfr. *Nostra Aetate*, 2). No debemos olvidar el magisterio del Papa Pablo VI acerca de este argumento: «Ni el respeto y la estima hacia estas religiones, ni la complejidad de los problemas que surgen, son una invitación para que la Iglesia calle el anuncio de Cristo ante los no cristianos» (*Evangelii Nuntiandi*, 53). El hecho de que los seguidores de otras religiones puedan recibir la gracia de Dios y ser salvados por Cristo independientemente de los medios ordinarios que Él ha establecido, no cancela del todo la llamada a la fe y al bautismo que Dios quiere para todos los pueblos (cfr. *Ad Gentes*, 7). Representa un contradicción del Evangelio y de la auténtica naturaleza de la Iglesia afirmar, como hacen algunos, que la Iglesia es sólo una vía de salvación entre muchas y que su misión ante los seguidores de otras religiones no debe ser nada más una ayuda para que lleguen a ser mejores seguidores de tales religiones [7].

El judaísmo

El cambio decisivo en las relaciones de la Iglesia Católica con el judaísmo y con cada uno de los judíos se ha dado con este breve pero lapidario párrafo.

Todos somos conscientes de que, entre las muchas riquezas de este número 4 de la «*Nostra Aetate*», tres puntos son especialmente relevantes. Quisiera subrayarlos aquí, ante vosotros, en esta circunstancia verdaderamente única.

El primero es que la Iglesia de Cristo descubre su «vínculo» con el judaísmo «escrutando su propio misterio» (cfr. *Nostra Aetate*, ibíd.) La religión judía no nos es «extrínseca», sino que, en cierto modo, es «intrínseca» a nuestra religión. Por tanto, tenemos con ella relaciones que no tenemos con ninguna otra religión. Sois nuestros hermanos predilectos y, en cierto modo, se podría decir nuestros hermanos mayores.

El segundo punto que pone de relieve el Concilio es que a los judíos como pueblo no se les puede imputar culpa alguna, por lo que «se hizo en la pasión de Jesús» (cfr. *Nostra Aetate*, ibíd.) Ni indistintamente a los judíos de aquel tiempo ni a los que han venido después ni a los de ahora. Por tanto, resulta inconsistente toda pretendida justificación teológica de medidas discriminatorias o, peor aún, persecutorias. El Señor juzgará a cada cual «según las propias obras», tanto a los judíos como a los cristianos (cfr. *Rm* 2, 6).

El tercer punto de la declaración conciliar que quisiera subrayar es la consecuencia del segundo; no es lícito decir, no obstante la conciencia que la Iglesia tiene de la propia identidad, que los judíos son «réprobos o malditos», como si ello fuera enseñado o pudiera deducirse de las Sagradas Escrituras (cfr. «*Nostra Aetate*», ibíd.) tanto del Antiguo como del Nuevo Testamento. Más aún, había dicho antes el Concilio, en este mismo fragmento de la «*Nostra Aetate*», pero también en la Constitución dogmática «*Lumen Gentium*» (n. 6), citando a san Pablo en la carta a los Romanos (*Rom* 11, 28s) que los judíos «siguen siendo muy amados por Dios», que los ha llamado con una «vocación irrevocable».

A nadie se le oculta que la divergencia fundamental desde los orígenes es la adhesión de nosotros los cristianos a la persona y a la enseñanza de Jesús de Nazaret, hijo de vuestro pueblo, del cual nacieron también la Virgen María, los apóstoles, «fundamento y columnas de la Iglesia», y la mayoría de los miembros de la primera comunidad cristiana. Pero esta adhesión se sitúa en el orden de la fe, es decir, en el asentamiento libre de la inteligencia y del corazón guiados por el Espíritu y no puede ser jamás objeto de una presión externa, en un sentido o en otro; es éste el motivo por el que nosotros estamos dispuestos a profundizar el diálogo con lealtad y amistad, en el respeto de las íntimas convicciones de los unos y de los otros, tomando como base fundamental los elementos de la revelación que tenemos en común como «gran patrimonio espiritual» (*Nostra Aetate*, 4) [8].

Cada una de nuestras religiones, con plena conciencia de los muchos «vínculos» que la unen a la otra, y en primer lugar de ese vínculo del que habla el Concilio, quiere ser reconocida y respetada en su propia identidad, más allá de todo sincretismo y de toda equívoca apropiación.

Además, debe decirse que el camino emprendido está todavía en sus comienzos y que, por tanto, se necesitará todavía bastante tiempo, a pesar de los grandes esfuerzos ya realizados por una parte y por otra, para suprimir toda forma, aunque sea subrepticia, de prejuicios, para adecuar toda manera de expresarse y, por tanto, para presentar siempre y en cualquier lugar, a nosotros mismos y a los demás, el verdadero rostro de los judíos y del judaísmo, como también de los cristianos y del cristianismo, y esto a cualquier nivel de mentalidad, de enseñanza y de comunicación [9].

Relación de la Iglesia con el islam

Estoy convencido de que las grandes tradiciones del islam, como la acogida del forastero, la fidelidad en la amistad, la paciencia ante la adversidad, la importancia dada a la fe en Dios, son otros tantos principios que deberían permitir que se superen actitudes sectarias inadmisibles. Deseo vivamente que, igual que los fieles musulmanes encuentran hoy justamente los medios esenciales para satisfacer las exigencias de su religión en países de tradición cristiana, los cristianos puedan beneficiarse a su vez de un trato semejante en todos los países de tradición islámica. La libertad religiosa no puede estar limitada a una simple tolerancia. Es una realidad civil y social, dotada de derechos precisos que permiten a los creyentes y a su comunidad dar testimonio sin temor de su fe en Dios, y vivir todas las exigencias que eso supone [10].

Derecho a la libertad religiosa en el campo civil

Algunos principios incluidos en la Declaración «*Dignitatis Humanae*» del Concilio Vaticano II: «Por razón de su dignidad, todos los seres humanos, por ser personas, es decir, dotados de razón y de voluntad libre, y, por tanto, investidos de responsabilidad personal, se ven impulsados, por su propia naturaleza y por obligación moral, a buscar la verdad, en primer lugar, la que se refiere a la religión. Y asimismo están obligados a adherirse a la verdad, una vez conocida, y a ordenar toda su vida según las exigencias de la verdad» (*Dignitatis Humanae,* 1, 2).

«En efecto, el ejercicio de la religión, por su misma naturaleza, consiste ante todo en los actos internos voluntarios y libres, con los que el hombre se dirige de inmediato hacia Dios: tales actos no pueden ser mandados ni prohibidos por una autoridad meramente humana. Pero la misma naturaleza social del hombre exige que éste manifieste externamente los actos internos de la religión, que se comunique con otros en materia religiosa, que profese su religión de forma comunitaria» (ibíd. 1,3).

Estas palabras atañen a la materia del problema. Demuestran igualmente de qué manera la misma confrontación entre la concepción religiosa del mundo y la agnóstica o también atea, que es uno de los «signos de los tiempos» de nuestra época, podría conservar dimensiones humanas leales y respetuosas sin violar los derechos esenciales de la conciencia de ningún hombre o mujer de los que viven en la tierra.

El mismo respeto de la dignidad de la persona humana parece requerir que, cuando se debata y establezca, a la vista de leyes nacionales o convenios internacionales, el justo sentido del ejercicio de la libertad religiosa, se impliquen también las instituciones que por su naturaleza están al servicio de la vida religiosa. Descuidando tal participación se corre el riesgo de imponer, en un campo tan íntimo de la vida del hombre, normas o restricciones que son contrarias a sus necesidades religiosas verdaderas [11].

Notas

1. Carta apostólica a los jóvenes del mundo, n. 15.
2. Kampala, Uganda. Encuentro ecuménico en el santuario anglicano, 7 de febrero de 1993.
3. Discurso a los obispos de los Estados Unidos, 5 de octubre de 1979.
4. Discurso a la Asamblea Plenaria del Consejo Pontificio para el Diálogo Interreligioso, 13 de noviembre de 1992.
5. Parakou, Benín, 4 de febrero de 1993.
6. Cotonou, Benín, 4 de febrero de 1993.
7. Carta a los Obispos participantes en la Asamblea de Bandung, 23 de junio de 1990.
8. Discurso en la Sinagoga de Roma, 13 de abril de 1986.
9. Discurso en la Sinagoga de Roma, 13 de abril de 1986.
10. Al Cuerpo Diplomático, 13 de enero de 1990.
11. Discurso a la ONU, 2 de octubre de 1979.

INDICE